丛书总序

中国纪念馆应成为开展公共外交的平台

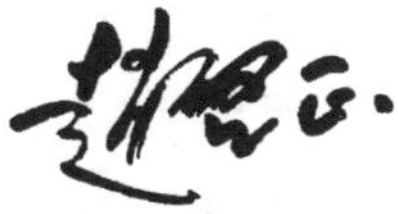

今年年初，成山同志邀请我为即将出版的《中国纪念馆故事》系列丛书作序，并告知中国目前已有1000多家各种类型的纪念馆。

纪念馆对国内观众是学习历史、缅怀先人、传承文化的重要场所，对外国观众则是中国开展公共外交不容忽视的平台。

公共外交和政府外交组成国家的整体外交。“简言之，中国公共外交的基本任务是向世界说明中国，促进外国公众认识真实的中国——包括中国的文化传统、社会发展、经济状况、政治体制和对内、对外政策等。”[*]在这当中，向世界说明中国的历史，尤其是说明近代史中的重大事件和历史人物是顺理成章的。

中国纪念馆应该成为开展公共外交的优势平台。随着我国社会经济的快速发展，中国国际交通的愈加便利，越来越多的外国人士来到中国。很多人到达一座城市，往往要参观各种各样的纪念馆，甚或在纪念馆座谈研讨、深入交流，以获得我国的历史文化知识和各种其他信息，从而加深对中国的了解，形成各种各样的印象。在纪念馆中参观交流的过程，实际上就是公共外交的实践过程，只是参与人可能并未意识到而已。当前，我国正处在文化事业大发展的时期，相信中国纪念馆的阵容会越来越强大，开展公共外交的前景会越来越宽阔。

中国纪念馆发展到今日已经具有开展公共外交的良好条件。

* 赵启正著：《公共外交与跨文化交流》，中国人民大学出版社2011年版。

更可贵的是，许多纪念馆已经有了强烈的开展公共外交的意识，十分注意跨文化交流的方法创新，主动为来馆的外国人服务。据悉，仅以侵华日军南京大屠杀遇难同胞纪念馆为例，去年共接待了563万观众，其中有40多万人次来自世界上95个国家。为此，他们不仅配备了12种语言的语音导览器和《展馆简介》，还专门招聘和培训了英、德、日、韩等语种的讲解员。该馆所有的展品和标识都用中、英、日三种文字标注。不仅如此，他们十分看重国际交流，经常在国内外组织和参加国际学术研讨会和史料展，不仅吸引了学者到会，也有南京大屠杀幸存者参加。这些年，他们到过日本、韩国、印度、孟加拉国、以色列、波兰、美国、意大利、丹麦、俄罗斯、菲律宾等国，进行了历史文化与和平友好的广泛交流。这些都属典型的公共外交活动。

各国纪念馆的设计都尽力协调对内和对外的传播。英国曾经在20世纪90年代的中后期，通过通商、观光（包括各种纪念馆）、文化振兴来强化公共外交。他们在发展旅游业的同时，没有忘记着力唤醒国民的自豪感，以此努力刷新英国“保守顽固的阶级社会”的旧国际形象。“9·11”事件以后，美国强调重振公共外交，注意到表达的手段要适合青少年。英美两国的这些做法，几乎与中国纪念馆的工作重点与对象完全一致，除了对外交流，还以本国青少年为对象进行教育，唤醒国民爱国主义的自豪感、责任感和自信心。

用讲故事的方式传播历史文化，开展公共外交，是一种好的方法。公共外交可以更为宽松、生动和灵活地采取多种形式在多种场合发出声音，讲述本国的“故事”。许多历史事件与文化现象往往比较复杂，如用心不够，讲解起来会枯燥、呆板。如果通过纪念馆忠于史实的再描述，把它们变成一个个有情、有景、有味、有吸引力的故事，再配之于一幅幅图片，使历史人物或者历史事件鲜活起来，才能易于人们，尤其是外国人听得明白。

出版这套书是一件值得肯定和支持的好事。我相信《中国纪念馆故事》的出版问世，一定会引起社会各界的重视，也为我国开展公共外交增添一抹亮丽的色彩。

（作者原为中国国务院新闻办公室主任，现任中国人民政治协商会议常委、外事委员会主任，兼任中国人民大学新闻学院院长）

目　录

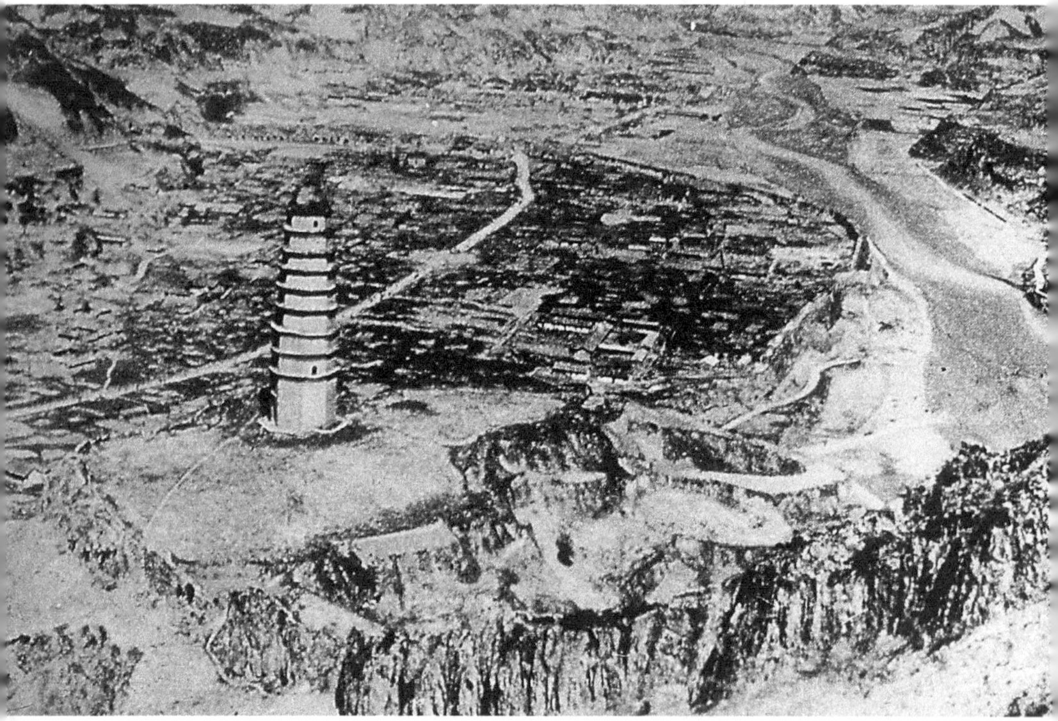

抗日战争时期的延安

前　言

延安，是中国革命的圣地。在延安，毛泽东等老一辈无产阶级革命家们引领中国革命走向了胜利。

为了充分展现党中央和以毛泽东为代表的中国共产党人在延安时期所开创的丰功伟绩，1950年7月1日，延安革命纪念馆在南关原陕甘宁边区交界处正式创建；1956年，纪念馆迁至延安城内凤凰山麓；1973年，又迁至王家坪，即现在的馆址。2006年，延安革命纪念馆作为中宣部全国爱国主义教育示范基地建设“一号工程”，被拆除重建，于2009年8月落成并对外展出。

2004年，延安革命纪念馆被中央宣传部、民政部、人事部、文化部授予“全国爱国主义教育示范基地先进集体”荣誉称号。2008年，延安革命纪念馆首批被评定为国家一级博物馆。2009年，延安革命纪念馆新馆落成，当年就被评为“新中国成立60年百项经典暨精品工程”。

多年来，延安革命纪念馆高度重视延安13年革命史的研究，编辑出版了许多书刊。这本《延安革命纪念馆故事》，精选了五十多篇优秀文章，生动地再现了老一辈无产阶级革命家们在延安战斗生活时的真实画面。书中的主人公们，不论是中共领袖、高级将领，还是普通士兵、农民劳模，在他们身上都闪现着延安精神的璀璨光芒。

中国共产党的延安时期，可谓辉煌灿烂、硕果累累。中国共产党人在延安可歌可泣的故事也不一而足，本书只是从中采撷了很小的一部分。希望这本《延安革命纪念馆故事》能为颂扬革命先辈们的光辉事迹，更好地弘扬延安精神作出一份宝贵的贡献。

延安革命纪念馆馆长　张建儒

1935 1948

第一部分

领袖风采

毛泽东为机要员办婚事

1941年10月10日，毛泽东在延安杨家岭他住的窑洞前的土坪上，为黄有凤、赵雪明夫妇举行了朴素而又欢乐的婚礼。

那天，毛泽东让工作人员在窑洞前的土坪上摆了两张餐桌，用自己的稿酬让食堂准备了几个菜，买了一些红枣、核桃，并拿出部队自己酿的土葡萄酒，招待参加婚礼的嘉宾。参加婚礼的有毛泽

机要处部分同志在延安杨家岭的合影（1946）

东亲自下请贴请来的上宾：朱总司令和康克清大姐、王稼祥夫妇、任弼时夫妇和胡乔木、王明等。另外还有机要室、机要处的领导同志。中机和军机的其他同志，因不能都来参加，毛泽东就另给他们一些稿酬，让食堂给加两个菜。婚宴时毛主席带头举杯为这一对新人祝贺，并用他特有的幽默口气即兴赋诗："两个机要，白头到老，比翼双飞，永不掉队。"婚宴以后，来宾们参观了洞房。

洞房设在延安新建成的中央办公厅二楼的一个单间内。洞房的陈设比起50年后的今天朴素、简单得多，然而它的布置却很别致大方，是50年后的今天任何富丽堂皇的洞房所不能比的。一张双人床，一张桌子，两把椅子，这就是全部家具。床上铺着一床白色床单，结婚的枕头和被子整齐地摆在床上。最引人注目的是毛主席送的那床红底黄白花被面和朱总司令送的三五九旅送他的用树根染的一床咖啡色土产毛毯，这在当时是很稀罕的。墙上除了来宾们书写的贺词，还有康克清大姐和陈宗英大姐亲自制作的一张喷彩"鸳鸯戏水"。

这场由中国一代革命伟人主持并有许多无产阶级革命家参加的一对普通干部的婚礼，对于婚礼的主人黄有凤和赵雪明固然是引以为骄傲，并受到莫大鼓舞和终生难忘的喜事，对于听说过婚礼情形的人固然会以诗一般的佳话传诵，但更重要的是它体现了伟人关心普通干部生活的一片深情。历史不会重复，但它的精神却会常在。

黄有凤是江西兴国县人。1931年任地方乡苏维埃主席时参加红军。在红大学习后，开始在毛主席身边工作，任毛主席的机要参谋，与毛主席朝夕相处，吃饭也在一起，行军作战背着图筒，每到一地先给毛主席安排办公室，并根据部队活动情况，给毛主席标图。长征时他一直在毛主席身边工作。抗日战争爆发后跟随朱总司令到前方，给朱总司令当机要秘书，并任国民革命军第十八集团军总司令部机要科科长。1940年中共中央准备召开七大，作为候选代表回到延安，又回到主席身边，在作战室标图。当时他年近30还未娶妻。毛主席和其他同志对他很关心，中央机要科科长钟金辉同志在中机帮助物色，就把赵雪明同志介绍给他。赵雪明是河北承德市人，后随父母迁郑州，9岁去蜡厂当童工，11岁进予丰纱厂做工。“七七”事变后，参加抗日宣传活动，15岁参加中国共产党，并参加“郑州青年战时工作团”，随后不久到延安，进抗大职工学校。1940年调中央机要科工作。她身材不高，但很聪慧；文化程度不高，但很好学。她要求自己很严，干什么事都不肯落后。她选择配偶的条件是人要老实。经钟科长介绍她和黄有凤认识以后，双方经过一段时间的了解，建立了恋爱关系，两人相爱情投意合。赵雪明出于自己要求进步的心情，提出3年内不结婚，结婚以后短时间内不要孩子，生了孩子还要继续工作，不当家属。这几个条件黄有凤全部同意。

过了一年黄有凤同志要离开主席身边去军委机要处代理处长。主席很关心他的婚事，有一天他去主席办公室，主席问他的婚事怎样，他腼腆地说有了一个。主席说有了怎么还不结婚，他慢吞吞地说出女方和他的“约法三章”。主席听了向在旁边的叶子龙同志示意说，成立个“促进委员会”，促进促进。叶子龙就担任了“促进委员会主任”，三促两促，促来促去，终于促成这对恋人结为美满夫妻。

黄友凤，1955年唯一被授予少将军衔的机要干部

1943年冬天，这对夫妇的第一个小女儿出生了，起名玲玲。这给他们的家庭生活增添了新的内容，带来了新的欢乐，同时也增加了家务。孩子缺奶水吃，大人要增加营养恢复身体。当时的延安物质生活十分困难。机关部队都不发工资，一点营养品也不能买。为了给赵雪明增加营养，黄有凤想尽办法，有一次从窑洞上的麻雀窝里掏来4只麻雀，用饭盒在木炭盆上炖了，给赵雪明吃。当把麻雀汤端到赵雪明面前

在中共中央驻地杨家岭工作的女机要员（1946.3）

时，他风趣地说："麻雀虽小，可赛过人参呀！"后来又捉了几只地老鼠，做成腊老鼠给赵雪明吃。赵不吃，一直挂在室外。由于营养差，奶少，孩子饿得整天啼哭，小脸又瘦又黄，让人看了心疼。正在困难的时候，毛主席知道了，就让警卫员把组织上分给他自己的那份牛奶，送给赵雪明喂小孩。因为主席只有这一份，开始他们不肯收，后警卫员说主席执意要给，就收下了。玲玲喝着这份"特殊"的牛奶，逐渐胖起来，不满周岁就咿咿呀呀地学说话了。孩子大了要增加些小米稀粥，稀粥不甜，小孩不吃，主席又给了一包白糖。他们舍不得让孩子多吃，喂粥时在饭底化点糖水，在筷子头上蘸着一点，这点糖一直吃到日本投降。

"七大"召开以前，因黄有凤同志身体不好，毛主席又让黄有凤同志和赵雪明同志搬到枣园，在毛主席院子附近，单独给一眼窑洞，让玲玲和毛主席的小女儿李讷和叶子龙同志的两个女儿一起吃饭。一直到1945年8月日本投降他们赴东北工作时才离开枣园，离开毛主席身边。

（齐　超）

重庆谈判后毛泽东患病始末

重庆谈判结束后回到延安，毛泽东已经非常疲劳，但因为他离开期间，许多事情都有了变化，所以他顾不上休息，便开始了紧张的工作。1945年11月，毛泽东的身体状况越来越令人担忧，有时躺在床上，全身发抖，手脚痉挛，冷汗不止，不能成眠。毛泽东不得不停下工作，进行治疗休养。

傅连暲、金茂岳和黄树则，他们都先后给毛泽东看过病，但谁也没能解除毛泽东的病痛。在无可奈何之际，中央书记处办公室主任师哲提议向斯大林求助。本来苏联医生阿洛夫对毛泽东和其他中央领导同志的健康状况是很熟悉的，可是在毛泽东从重庆返回后，他同苏联情报组的成员一起赶回国参加庆祝十月革命节去了。

毛泽东、蒋介石、赫尔利等在重庆谈判期间的合影

经请示毛泽东同意，师哲给斯大林发了一份电报，说明毛泽东的病情，希望他们给予医疗方面的帮助或提供一些医疗意见。

苏联方面回电说，从电报上他们的医学专

毛泽东赴重庆谈判时，在延安机场与送行的人员话别

家无法诊断毛泽东的病情，没法提出任何治疗方案或建议，所以关于毛泽东的健康问题还得另想办法，并采取切实可靠的措施。他们表示，如果需要他们可以派医生去延安为毛泽东担任医疗护理工作。

师哲接到回电后，就向毛泽东汇报，征询他是否同意苏联派医生来延安为他和中央其他领导同志担任医护工作。毛泽东同意了。师哲很快给斯大林回电，请他们派医生来延安。

但过了大约两个小时，毛泽东又叫师哲暂时不要给苏方发电报。然而，为时已晚，电报已经发出去了。毛泽东说："做得太快了，你这样着急干什么？"师哲心想：这还不急！嘴上只好说："我的性子就是急，历来如此。"毛泽东再没有说什么。

毛泽东生病的时候，江青要师哲找个安静的地方，让毛泽东离开枣园去休养。师哲找了许多地方，比如安塞真武洞，但那里条件太差，不适宜；又跑到柳树店附近联防司令部修建的干部疗养所，这里倒是完全空出来了，于是请毛泽东去了疗养所。

在柳树店一个多礼拜的时间，毛泽东在身体状况好些的时候，总要出去访问，把那里的干部和附近的群众差不多访问遍了，完全掌握了周围的情况。

几天以后，毛主席又觉得离机关太远，看不到文件，听不到消

息，很着急。师哲每天去看他时，他都要问许多的问题。哪个部队来了电报，哪个部队驻在哪里，他问得很细。他天天在考虑面对蒋介石的进攻，我们的部队是否守得住。而师哲连部队番号都不清楚，这些问题不是师哲所能回答得了的。不几天，主席再也呆不下去了，要求搬到王家坪的桃林去住。

王家坪桃林有窑洞，也有平房，地方很宽敞，又同军委、《解放日报》社、新华社等单位靠近，他就安居下来。请了黄树则同志负责毛泽东的医疗和护理，但是缺少医药，巧妇难为无米之炊呀！

正在为难之时，12月初，苏方来电说，他们拟派两名医生——一名内科、一名外科，不日飞抵延安，同行的还有毛泽东的长子毛岸英，要延安做好准备。师哲把这份电报内容向毛泽东作了汇报。他听后十分欣喜，并表示，到时他将亲自到机场去接。

苏联派来的医生就是阿洛夫和米尔尼柯夫大夫（大家简称为米大夫）。阿洛夫是苏联红军的少将级外科医生，米大夫是苏联地方上的内科医生。阿洛夫到延安后还负责孙平留下的电台，这个电台是归苏联红军情报系统管的。阿洛夫是个外科医生，并不懂政治，因为他的职务高，掌握电台，毛泽东时常找他谈话。

阿洛夫是故地重游，对延安很熟悉，飞临延安上空，他就看到了宝塔山上的延安宝塔，准确无误地判断出了机场的跑道走向，飞机顺利着陆了。

毛岸英身着苏联陆军上尉军服走下来。毛泽东走上前去，紧紧地抱住岸英说：“你长得这么高了！”接着同来宾一一握手，然后请他们都到王家坪休息。

傍晚，毛主席设宴招待苏联医生、全体飞行人员和毛岸英等人。宴会后，他请机长即一位苏军上校到他的住处座谈，并当场要给斯大林写一封感谢信，说明阿洛夫、米尔尼柯夫大夫、他的儿子毛岸英等均已安抵延安，望勿悬念，对送给他的礼品表示谢意。这封信是他亲自交给上校带回莫斯科交给斯大林的。

阿洛夫、米大夫被安置在王家坪毛泽东住处的后排房间里，既有工作间，又有医务室。他们的主要任务是负责对毛泽东的医护工作。从这个时候起，毛泽东的心情、精神状态和健康状况都有了显著的好转。自然，这不只是因为有医生专门护理、诊病，使用各种最新出产的特效药物为他进行医疗、保健，更重要的可能是久别的长子毛岸英回到了身边。

大革命失败，毛泽东领导秋收起义后率部队上了井冈山，岸英随母亲杨开慧回到长沙板仓老家。杨开慧牺牲后，党组织将岸英及其两个弟弟送到上海，1936年岸英、岸青两兄弟从上海经法国到了苏联，一别就是二十年。父子相见倾心交谈、日夜不离，这无疑给了毛泽东不少安慰，增添了他的喜悦。

阿洛夫和米大夫二人对毛泽东的身体进行了认真、全面的检查，认为他身体基本是健康的，病痛只是由于操劳过度、负担繁重、精神过于紧张所致。现在要让他好好休息，安静地休息，精神和缓下来，就可以恢复常态。为此，要使他暂时少操心工作，放开国家大事，少管或不管，使神经尽可能松弛下来，也不要用琐碎事情去麻烦他。希望多多调养，让他好好休息。

阿洛夫和米大夫还劝毛泽东多走动，到野外新鲜空气中去活动。于是在1946年初春的一天，为毛泽东组织了一次春游，同行者有蔡畅。

毛泽东在蔡畅一行陪同下到了延安南郊二十里铺附近，下车后在丛林中漫步。但毛泽东总是一刻不停地在寻访。他把周围的碑文都仔细地看过之后说："延安在明朝以前就有较高的文化，大概是由于交通不便，渐渐落伍了。"大家请他聚餐，他吃得很少。

这次春游虽然有些累，但心情舒畅，精神振奋，尽欢而归。

根据医生的建议，工作人员还找了一些人陪毛泽东打乒乓球、打麻将、聊天。欧阳山尊回忆说："这时，我正在中央党校学习，他住的地方正在党校对面，只隔一条延河，枯水的季节踩着石头就过去了。好些星期天，上级组织我们去陪他打乒乓球和打牌。在打乒乓球的时候，为了使他增加活动量，我故意把球拍得很远，让他来回去拾，警卫人员领会这个意思，也不为他代劳。他看穿了这种情形，也故意把球抽得很远，哈哈大笑地说：‘让你也捡捡去。’”

有一次我陪他吃饭，他一边吃一边说：“医生不许我吸烟，不许我吃辣椒，我都遵命照办，可是不让我看文件读报，这是让我‘失业’啊，这些都是我工作的重要方面嘛。”他吃完一碗问：“我添过饭了吗？”毛岸英回答：“还没有。”他说：“那就再吃一些。”接过儿子给他添上的饭碗风趣地说：“每天不工作光吃饭，这不成了个饭桶。”说得大家都笑了。

在这一段不长的休养期中，毛泽东同志赖以消遣的，除了打乒乓球就是打牌，球打累了就换一个方式，进窑洞玩牌，我因为不会玩，只能在一旁看。记得一次，他和了个满贯，一算，赢了20多个亿，他非常高兴，兴奋地说：“这一下把全世界人民都赢来了！”

此后，毛泽东的健康状况日益好转，精神渐渐恢复了正常。

毛泽东觉察到苏联医生把注意力全部集中到他一个人身上了，于是对他们说：“有时间你们可以到各机关、各单位去走走、看看，包

1945年10月11日，毛泽东返回延安，在机场受到万余名延安军民的热烈欢迎

括西北局、边区政府等单位，顺便也给那里的负责同志看看病、检查检查身体。中国人说:‘乐善好施’、‘治病救人’、‘妙手回春’都是褒奖你们医界人士的，希望你们不要把注意力只集中到我一个人身上。”

此后不久，米大夫向毛泽东汇报了他的工作。他把各地来延安的负责同志和常驻延安的领导同志的身体状况都作了一次检查，都还算健康，唯有任弼时同志一人堪虑。他脑血管硬化，影响到双目视力，这不是好兆头，表明他的病已经到了相当严重的程度。毛泽东听后，深深地叹了口气，再没有把话说下去。

（黄卉青）

毛泽东重庆谈判趣事

1945年，毛泽东在赴重庆谈判的43天里，除了忙于谈判事宜，接受采访，还频频访问国民党诸多政要、各党派民主人士等。其间，留下了许多脍炙人口的轶事。

“客随主便”

重庆谈判期间，毛泽东的政治秘书王炳南，把王昆仑、屈武、侯外庐等介绍给毛泽东，毛泽东高兴地请客人们落座。“红学”名家王昆仑说：“此次谈判，恐怕收效甚微。”毛泽东诙谐幽默地说：“国共和谈，宛似两个人谈恋爱，总要论及婚娶。现在吾党有诚意，事情先成功一半，大家再推一把，拉一把。国共两党准会结婚。”侯外庐教授担忧地说：“国民党犹如病入膏肓、风烛残年的老人，共产党又好比是一位青春正茂的妙龄女郎。这样的两人结婚自是希望渺茫。”毛泽东打趣说：“老头子刮刮胡子净净面，不就行了吗？”众人哄堂大笑。

毛泽东赴重庆谈判时，向送行的延安军民挥手致意

王昆仑沉吟慨叹：

“即使结了婚也是悲剧哟！”毛泽东悠然正色道：“当前蒋介石正玩弄着发动内战与和平谈判的两面手法，牛魔王、白骨精忽而变作正人君子。我们也要变的，要学孙悟空闹龙宫，闯地府，七十二变，外加十万八千里筋斗云……我们的目标是四个字‘和平民生’，这与蒋介石打算正相反。不过，他愿意谈，我就谈；他愿意打，我就打；他愿意边谈边打，我就边打边谈，反正我是延安来的客人，客随主便嘛！”

小纸条

重庆谈判期间，桂园警戒森严。一天，负责警卫的宪兵一团团长蔡隆仁值完夜岗，突遇同乡钱剑夫（当时在行政院供职）。钱剑夫关切地问：“是否见到毛先生了？”蔡隆仁回答：“见是见到了，却正为他提心吊胆呢！毛先生常常走出来散步，他走出院子，走出围墙，走出大门，径直走到大马路上去了。保卫工作太难做呀！”

“那你想了什么办法？”钱剑夫又问。蔡隆仁说：“有啥法子呢？上前劝阻，不敢；托周恩来先生传话，不便；向上报告吧，显得

毛泽东在重庆机场与前来迎接的张澜、邵力子、郭沫若等民主人士合影。（1945.8）

我无能。”钱剑夫即刻在一张小纸条上写下16个字:“晨风加厉,白露为霜;伏莽堪虞,为国珍重。”然后叮嘱蔡把纸条夹在送给毛泽东看的报纸中间。翌日,毛泽东在翻阅报纸时,果然发现这张小纸条,问:“这是什么?”蔡隆仁说:“这是我的一个同乡写来给您看的……”毛泽东当下领悟,对蔡隆仁说:“请对你这位同乡转达我的谢忱,承他的好意,我不会再单独走出桂园了。”

“补张收条吧”

1945年9月12日,毛泽东在重庆见到了阔别20多年的老朋友——“九三学社”的创建人许德珩及其夫人劳君展。叙谈中,毛泽东谈起9年前他初到延安时,曾获得北平的进步文化教育界朋友的关怀与支持,送来了十分珍贵的布鞋、怀表与火腿等物品。许德珩笑着指着劳君展说:“这都是她的功劳哟!”原来,那是1936年深秋的一天,中共地下工作者徐冰夫妇来访,谈及延安物资供应十分困难,领导人连只怀表都没有。劳君展当即决定拿出积蓄300元钱,买了12块怀表、30多双布鞋,包装妥当便交给徐冰夫妇带去延安。

毛泽东知晓缘由后深受感动,随即风趣地对作陪的周恩来说:“现在补张收条吧!”顿时席间一阵欢笑。

（崔　苗）

毛泽东在延安“挨骂”

1941年6月3日，陕甘宁边区政府在延安的杨家岭小礼堂召开边区各县县长联席会议，讨论征粮工作和农民负担问题。当天下午正在开会的时候，突然大风暴雨。一个炸雷，击断了礼堂的一根木柱，坐在附近的延川县代县长李彩云猝不及防，不幸触电身亡。同一天，一位农民饲养的一头驴也被雷电击死了。

噩耗传开以后，人们议论纷纷。这位农民逢人就说："老天爷不开眼，响雷把县长劈死了，为什么不劈死毛泽东？"

保卫部门闻讯，要把这件事当作反革命事件来追查，逮捕这个"竟敢如此咒骂毛主席"的农民，并要公开处理，以一儆百。

毛泽东从警卫员口中知道这件事以后，立即阻止了保卫部门的行动。毛泽东说："群众发牢骚，有意见，说明我们的政策和工作有毛病。不要一听到群众有议论，尤其是尖锐一点的议论，就去追查，就要立案，进行打击压制。这种做法实际上是软弱的表现，是神经衰弱的表现。我们共产党人无论如何不要造成同群众对立的局面。"

不久，在陕甘宁边区的清涧县农村又发生了一起类似的事情。

农妇伍兰花的丈夫在山上用铁犁耕地时，不幸被雷电击毙。伍兰花一边悲痛，一边大骂"世道不好"、"共产党黑暗"、"毛泽东领导官僚横行"等。中央社会调查部闻讯后，把伍兰花拘押到延安，并由保卫部门建议判处死刑。

毛泽东从社会调查部部长康生派人送来的《情况汇报》中知道了这件事。他对社会调查部的人说："你们不能这样做嘛！……中央设立社会调查部，不是设几个官位。如果不做调查，就随随便便抓人、杀人，这是国民党的黑暗做法！就这些而论，人家骂得就有道理呀！"

当晚，毛泽东的心情仍难以平静，就叫来中央军委总部保卫部部长钱益民，要他立即把伍兰花带来。在会客室里，经过聊天拉家常话，毛泽东了解到：伍兰花的家里共有六口人，七十岁的婆婆是个瘫痪病人；三个娃，大的才十岁，小的还不到三岁半；里里外外全靠丈夫支撑着。1935年中央红军来了以后，她家里分了五亩地，头几年还好，政府收的公粮少，家里的粮食吃不完，踏实过了几年好日子。这几年变了，干部只管多要公粮，还多吃多占。如今她丈夫死了，家里的顶梁柱就没有了。

毛泽东又把钱益民叫进来，当面嘱咐说："把这个妇女马上放回去，还要派专人护送她回家。记住，去的人要带上公文，向当地政府当面讲清楚，她没有什么罪过，是个敢讲真话的好人。她家困难多，当地政府要特别照顾。对于清涧县群众的公粮负担问题，边

前日雷雨中
李代縣長觸電慘死
今日舉行追悼大會

【本報訊】三日下午邊區政府縣長聯席會正在進行之際，突然天空陰雨，電光閃閃，一聲巨響，雷電從東面屋角穿入會議室內，所有到會人員受巨雷震動，頭腦昏暈，紛紛逃出室外，時會議室內突然傳出「救命」呼聲，林主席當即派人入室，將觸電人員攜出。延川縣四科科長（代縣長）李彩榮同志觸電過重，經多方救治無效，遂以殞命！延安市高市長、志丹縣趙縣長、延長白縣長，也受電擊，經有效救護，已脫險境。不幸殞命之李彩榮同志，在衆人咸深悲痛之下，連夜準備棺木，殮衣，由林、高主席親臨含殮，當晚並親函李彩榮同志之家屬，以示慰問。四日清晨，邊府秘書處及各廳職員數百人列隊恭送李彩榮同志之靈柩運返故里，邊府派有秘書一人，攜有五百元撫卹金陪往助理喪事，此外並派衛士五人以資護送。林、高主席並特令延川縣府應額外注意照顧李彩榮同志家屬之生活及子女之教育。西北中央局及邊區各級機關全體人員，定今日午後於南門外廣場召開大會，以資追悼。

《解放日报》关于雷电击死李代县长的报道

区政府要认真调查研究，该免的要免，该减的要减。我们决不能搞国民党反动派那一套，不管老百姓的死活！”

伍兰花回村以后，对乡亲们讲了自己在延安的经历。长辈们听了以后说：“古人讲，宰相肚里撑大船，将军头上跑快马。毛主席太了不起啦，真是个不怕雷打、不怕鬼诈的大人物！”

毛泽东从群众的民怨骂声中深刻反思，并举一反三，下决心与中共中央、中央军委和陕甘宁边区政府的领导同志一道，采取一系列措施改进工作。例如，毛泽东等中央领导同志通过深入调查，发现“确实公粮太多”，“加重了人民的负担”。在1941年11月6日开幕的陕甘宁边区第二届参议会上，开明绅士李鼎铭等十一人提案建议：“政府应彻底计划经济，实行精兵简政主义，避免入不敷出、经济紊乱之现象”，并提出了具体实施办法。11月18日，参议会通过了精兵简政的决议。

在中共中央领导下，陕甘宁边区带头行动，先后进行了三次精简。在减轻人民负担，减少消费支出等方面，都取得了明显成效。

面对当时十分严峻的形势，毛泽东在1942年12月明确指出：“发展经济，保障供给，是我们的经济工作和财政工作的总方针。”陕甘宁边区和各抗日根据地的党政军民学各界都开展了轰轰烈烈的大生产运动。中国共产党领导的广大军民，用“自己动手”的方法，达到了“丰衣足食”的目的。毛泽东说：“这是中国历史上从来未有的奇迹。”毛泽东还把大生产运动与1942年整风运动一起，称为在当时整个革命链条中起决定性作用的两个环节。

在“七大”政治报告中，毛泽东强调指出：“有无认真的自我批评，也是我们和其他政党互相区别的显著的标志之一。”从此，批评与自我批评和理论联系实际、密切联系群众一起，成为中国共产党必须永远保持和发扬的“三大优良作风”。

（郝　璐）

华君武漫画风波

1938年夏秋之交，华君武在上海的朋友家，看到了一本《西行漫记》。从这本书里，他得知北方有一片红星照耀的土地，那里是中国的希望。于是，他瞒过家人和朋友，只身来到延安。

一跨进延安，华君武真想拿起枪和日寇大干一场，但组织上根据他的特长，把他分配到鲁迅艺术学院，续操旧业——画漫画。在校内，华君武同几个爱好漫画的人办了一张《漫画墙报》。每月一期，挂在鲁艺校园里的活动中心，常常引来不少观众，但有时也会引来一点风波。1942年3月，他们办了一期以延安生活为题材的大型《讽刺画展》，除反对法西斯和讽刺蒋介石的时事漫画外，还有表现校园生活和社会现象的漫画。例如反映有的干部把学习马列当作时髦的《摩登装饰》，批评有的人争地位、发牢骚的《两件衣服的吵架》等百余幅作品。这期画展，一时在延安引起了不小的风波。“我看作者有问题，怎么尽画阴暗面？”“他们这些人就爱挑刺。”人们议论纷纷。

吴玉章和华君武

不久，毛泽东也来观看，他一幅一幅看得很仔细。那天只有华君武在场接待，他对毛泽东说："主席，请您提些意见。"

毛泽东说："漫画要发展的。"

华君武当时也不懂这是什么意思，又不敢问。

有一天，《解放日报》社的舒群来通知华君武："中央领导明天要见你。"第二天，和华君武同去枣园的有画家蔡若虹、张谔与舒群。那是夏天傍晚时分，毛泽东在大树底下接待客人们。华君武初到枣园作客，又加上"惹祸了"的小道消息，很有些拘谨，但是毛泽东平易随和、幽默机智的谈吐，一下子就把他的紧张情绪消除了。毛泽东还备了酒饭招待，和大家边吃边谈。华君武看到饭桌上有一碟烤青辣椒，上面撒了点盐，他就问："传说主席吃西瓜也就辣椒，是这样吗？"毛泽东说："长征到达陕甘边境，有一天我正就着辣椒吃饭，忽然有人把当地生产的西瓜送到饭桌上，我吃完饭才吃西瓜的。湖南人是爱吃辣椒的，但是也没有就着辣椒吃西瓜的呀！"说罢哈哈大笑。

谈到漫画，毛泽东信手翻出8月19日《解放日报》发表的一幅漫画《一九三九年所植的树林》。这是华君武画的。他只是画了一根光溜溜的树杆，无枝无叶，孤零零地插在山野。

毛泽东说："那是延安的植树吗？我看是清凉山的植树。延安植的树许多地方是长得好的，也有长得不好的。你这幅画，把延安的植树都说是不好的，这就把局部的东西画成全体的东西了。漫画是不是也可以画对比画呢？比方植树，一幅画画长得好的，欣欣向荣的，叫人学的；另一幅画画长得不好的，枝叶都被啃光的，甚至枯死

田方（左）与华君武

延安美术工作者在一起。左起，前排：王式廓、马达、胡考、华君武、胡蛮；后排：蔡若虹、王曼硕、力群、江丰

了，引起人们警惕。把两幅画画在一起，或者是左右，或者是上下。这样画，是不是使你们为难呢？”华君武说：“两幅画对比是可以画的。但是，每幅漫画都那样画，就不突出了。有一次发大水，山洪把地里的西瓜冲到河里。鲁艺有些人下河捞西瓜。但是，他们捞上来不是交给种瓜的农民，而是自己带回去吃了。这样的漫画可不可以画呢？”毛泽东说：“这样的漫画，在鲁艺内部是可以画的，也可以展出，而且可以画得尖锐一些。如果要发表在全边区性的报上，那就要慎重。因为从整个边区来看，干部和群众的关系是好的。如果发表在全国性的报上，那就更要慎重，因为影响更大。对人民的缺点不要老是讽刺，对人民要鼓励。以前有一个小孩，老拖鼻涕，父母老骂他，也改不了。后来小学的老师看见他有一天没有拖鼻涕，对他进行了鼓励和表扬，从此小孩就改了。对人民的缺点不要冷嘲，要‘热讽’。”

毛泽东的这番教诲，后来成了华君武画漫画的一剂良药，令他受益终身，被誉为“漫画大师”。

（王姝丽）

毛泽东不赞成“毛泽东主义”的提法

《晋察冀日报》社社长兼总编邓拓，于1942年7月1日，在该报头版以醒目的标题刊出他写的社论《纪念七一，全党学习掌握毛泽东主义》。社论明确提出“毛泽东主义”这个概念，号召“深入学习掌握毛泽东主义，真正灵活地把毛泽东主义的理论与策略，应用到一时一地的每一个具体问题中去。”

一年之后，在中共22周年诞辰之际，即1943年7月8日，延

毛泽东在李家窑时研读马列主义著作

王稼祥同志在延安

安《解放日报》全文发表了王稼祥撰写的题为《中国共产党与中国民族解放的道路》的文章。文章明确提出了“毛泽东思想”的概念，指出：“中国民族解放整个过程中——过去、现在与未来——的正确道路就是毛泽东同志的思想，就是毛泽东同志在其著作中与实践中所指出的道路。毛泽东思想就是中国的马克思列宁主义，中国的布尔什维主义，中国的共产主义。”“中国共产主义，毛泽东思想，便是马克思列宁主义与中国革命运动实际经验相结合的结果。”

王稼祥事前把写好的文章送给毛泽东审阅。一天傍晚，毛泽东来到王稼祥那里，谈及了对文章的意见。在两个多月以前，4月22日，毛泽东在给凯丰的信中，曾说过“我的思想（马列）自觉没有成熟”。所以刚开始时，毛泽东连“毛泽东思想”都不同意提，后来由于王稼祥的坚持，毛泽东才同意了文中关于“毛泽东思想”的提法。

但是，毛泽东对王稼祥特别强调：不能提“毛泽东主义”。他说：我是马克思、列宁的学生，怎么可以跟他们并列？马克思有马克思主义，列宁有列宁主义，我不能提“毛泽东主义”。我没有“主义”。我的主义，就是马克思主义、列宁主义。你们一定要提，还是你提的“毛泽东思想”好。每一个人都有自己的思想嘛，不能随便地提“主义”。不过，我仍然以为，作为一种思想体系，我还没有成熟。这不是谦虚，事实如此。

（张宏伟）

毛泽东与黄炎培论“历史周期律”

在延安时期，毛泽东同黄炎培关于中国共产党领导的政权如何跳出历代统治者从艰苦创业到腐败灭亡的周期率问题的一次谈话成为了一段历史佳话。

1945年7月1日，黄炎培、褚辅成、冷遹、左舜生、傅斯年、章伯钧六位国民参政员，应毛泽东主席之邀来到延安访问。这一行六人来到延安后，当毛泽东和黄炎培握手时说：“我们二十多年不见了！”黄感到愕然，心想我们这是第一次见面呀！毛泽东似乎看出了黄炎培的心思，便笑着说：“1920年5月某日在上海，江苏省教育会欢迎杜威博士，你主持会议，在讲话中说中国一百个中学毕业生，升学的只有多少多少，失业的倒有多少多少。那一大群听众之中就有一个毛泽东。”听了毛泽东的这一席话，黄炎培高兴得连连称赞毛泽东记性好。黄炎培从延安回到重庆之后，每次讲到延安之行时，都要津津乐道这个有趣的细节。他十分自得地说：“想不到在大群听众之中，竟有这样的一位盖世的豪杰！”

毛泽东与黄炎培亲切交谈

到延安之后的第二天下午，黄炎培一行六人应约到杨家岭访问毛泽东主席。

1945年7月1日，国民参政会六位参政员褚辅成、黄炎培、章伯钧、冷遹、傅斯年、左舜生由重庆到达延安，毛泽东、秦邦宪等前往机场迎接

杨家岭是中共中央机关所在地，离延水河稍远，风景很好。高高矮矮的山坡上有一排排窑洞，毛泽东等中共中央领导人就在这些窑洞里居住。住所的当中有一座规模较宏伟的大会堂，依山面阳。黄炎培一行从大会堂的右边走上山坡，绕到后面，来到毛主席接待客人的会客室。会客室呈正方形，光线充足，中间摆放着一张长桌，四周摆放着各式椅子可坐二十来人。会客室的四壁还挂着几幅画，其中有一幅画是沈钧儒次子沈叔羊画的，画着一把酒壶，上写"茅台"二字，壶旁有几只杯子。画上的一首七绝就是黄炎培所题:

"宣传有客过茅台，酿酒池中洗脚来。是假是真我不管，天寒且饮两三杯。"

面对这幅熟悉的画，黄炎培侃侃而谈。黄炎培说这幅画是1943年在国民党掀起第三次反共高潮中，叔羊为他父亲"画以娱之"。在请他题词时，他忽然想起谣传，长征中共产党人在茅台酒

池里洗脚。针对这个谣传，他题了这首七绝以讽喻。可是他怎么也没有想到，这幅画竟挂在中共领袖的客厅了！当黄炎培在此时此地看到这幅画时，一股知遇之心的暖流流遍了他的全身。

7月4日下午，毛泽东邀请黄炎培和冷遹到他家里做客。毛泽东问黄炎培，来延安考察了几天有什么感想？黄炎培坦率地回答说："我生六十多年，耳闻的不说，所亲眼看到的，真所谓其兴也勃焉，其亡也忽焉，一人，一家，一团体，一地方，乃至一国，不少单位都没有能跳出这周期率的支配力。大凡初时聚精会神，没有一事不用心，没有一人不卖力，也许那时艰难困苦，只有从万死中觅取一生。既而环境渐渐好转了，精神也就渐渐放下了。有的因为历史长久，自然地惰性发作，由少数演为多数，到风气养成，虽有大力，无法扭转，并且无法补救。也有为了区域一步步扩大了，它的扩大，有的出于自然发展，有的为功业欲所驱使，强求发展，到干部人才渐见竭蹶，艰于应付的时候，环境倒越加复杂起来了，控制力不免趋于薄弱了。一部历史，'政怠宦成'的也有，'人亡政息'的也有，'求荣屈辱'的也有。总之没有能跳出这周期率。中共诸君从过去到现在，我略略了解的了。就是希望找出一条新路，来跳出这周期率的支配。"

听了黄炎培这一席情真意切的肺腑之言，毛泽东高兴地答道："我们已经找到了新路，我们能跳出这周期率。这条新路，就是民主。只有让人民来监督政府，政府才不敢松懈；只有人人起来负责，才不会人亡政息。"

毛泽东同黄炎培的这一次谈话，黄炎培在他写的《延安归来》小册子中作了记载。《延安归来》1945年由重庆国讯书店出版，初版两万册，几天内就被抢购一光，成为大后方轰动一时的畅销书。后被收入黄炎培所著《八十年来》一书，1982年由文史资料出版社出版。

（冯建霞）

毛泽东与梁漱溟在延安的争论

毛泽东与来延安访问的民主人士梁漱溟亲切交谈

抗战爆发后，国民党军队节节败退，使梁漱溟对抗战前途感到悲观，同时又想对中国共产党作一考察。于是，梁漱溟产生了赴延安见毛泽东的念头。经蒋介石同意，中共方面表示欢迎，梁漱溟便很快成行。1938年1月5日，梁漱溟由西安前往延安，1月25日返回，往返共三个星期。在延安，毛泽东不仅设宴招待了梁漱溟，临走时又为梁送行，而且进行了六次长时间的交谈，有两次竟通宵达旦。他们谈的内容很多，主要的归纳如下：

梁问：造成1927年后国共两党分裂、斗争的客观因素是什么？毛答：大致分为国内的因素、国际的因素。如国际的因素，那时各帝国主义惧怕中国赤化，他们可以统一起来，于是他们就来分化中国内部，使国共分裂。但到今天则相反，今天国际上有侵略的日德意一边，有反侵略的英美法一边，因统一不起来，他们就不能共同来对付中国。日本的侵略逼成中国的团结，反侵略者则不愿中国再有内战，处处从正面助成我们的团结。1936年西南“两广事件”和“双十二事变”时，英美友人的心理及其活动，就是最好例证。毛泽东说：这就是今昔客观因素的不同。由于这些因素（国际的加国内的），他相信国共前途只会团结，不会分裂。

关于抗战前途问题，梁漱溟说出了自己的失望和悲观。中国的前途如何？中华民族会亡吗？他说，到延安就是专程讨教的。毛泽东十分耐心地听他把话说完后，面带笑容，斩钉截铁地回答：中国的前途大可不必悲观，应该非常乐观！最终中国必胜，日本必败，只能是这个结局，别的可能没有！接着毛泽东分析了国内、国外的情势，敌我友三方力量的对比，强弱的转化，战争的性质，人民的力量等等，使梁漱溟十分信服。毛泽东这次谈的“中国必胜，日本必败”的观点，即是不久后他写成的《论持久战》一书的主要论点。

谈到如何建设一个新中国问题，毛泽东和梁漱溟分歧很大。毛泽东事先用一天时间读了梁漱溟著的几十万字的《乡村建设

毛泽东写《论持久战》

理论》一书，这是梁在谈话前送给毛的，毛泽东作了许多摘录。毛泽东对梁漱溟说，你的著作对中国社会历史的分析有独到的见解，但你的主张总的来说是走改良主义的路，不是革命的路。改良主义解决不了中国的问题，中国的社会需要彻底的革命。革命怎样才能彻底？中国共产党的基本理论，是在对中国社会进行阶级和阶级斗争的分析、估计后，从这一基本分析、估计得出的力量对比出发，来确定中国共产党的路线、方针、政策。毛泽东十分强调阶级和阶级斗争的作用，梁漱溟不同意的正是这一点。他争辩说，中国社会与外国社会不同。在历史上，外国的中古社会，贵族与农民阶级对立鲜明，但中国的中古社会贫富贵贱不鲜明、不激烈、不固定。有句老话叫："朝为田舍郎，暮登天子堂；将相本无种，男儿自当强。"因此中国社会阶级分化和对立也就不鲜明、不激烈、不固定。根据这种分析，梁漱溟提出"伦理本位"、"职业分途"8个大字。"伦理本位"是指中国家庭和社会的重要原则，像父慈子孝，兄友弟恭，夫妻相敬，亲朋善友等等，即注重义务。"职业分途"，就是社会分工，人人尽责，做好本行，则社会就能稳定、发展。这一次，梁漱溟讲了许多，毛泽东耐心听着，有时插话。毛泽东强调说，中国社会有着特殊性是对的，但中国社会却同样有着与西方社会共同性的一面。毛说梁的观点太看重了中国特殊性的一面，而忽略了共同性即一般性的一面；梁则说毛是太看重了一般性的一面，而忽略了特殊性的一面。两人相持不下，谁也没有说服谁。

毛泽东和梁漱溟之间虽然存在着重大分歧，但毛泽东政治家的风貌和气度，给梁漱溟留下了深刻的印象，致使他终生难忘。梁漱溟结束对延安的访问要返回西安，临别时，毛泽东对梁漱溟说："我对你说一句要紧的话，要贡献你一句要紧的话。恩格斯写了一本书，叫《反杜林论》，你要读读《反杜林论》。"

（王一美）

毛泽东在陕北两会斯诺

斯诺在保安

美国著名记者和作家、中国人民诚挚的朋友埃德加·斯诺，自1936年7月15日至1971年12月18日，他曾多次深入访问了毛泽东，尤其是1936年夏秋第一次到中国红都采访，是冒着生命危险、排除反动派各种阻挠与艰险来到当时革命根据地的。后来，斯诺把这次访问记写成《红星照耀中国》一书在英国和美国出版（1938年2月中译本在上海以复社名义出版时，为适应当时环境，改名为《西行漫记》）。

正如斯诺所说："只是把我和共产党员同在一起这些日子所看到、所听到而且所学习到的一切，作一番公平的、客观的、无党派之见的报告。"此书的出版扩大了中国革命在国内外的影响。加拿大的白求恩大夫和印度的柯棣华大夫等就是从中受到鼓舞，不远万里来到中国革命根据地的。这本书还在很大程度上导致了几年后大批青年学生奔赴延安的高潮，许多热血青年就是怀揣着《西行漫记》踏入革命圣地的。因此，毛泽东对斯诺评价很高，他说："到现在为止，还没有人像他那样，把我们这里的事公布于世……我们将永远记住，他确为中国做了许多好事。他是第一个为了建立统一战线而作引线人和铺路人的，我们是不忘记这一点的。”

1936年6月，斯诺由北京出发，经过西安，闯过艰难险阻的白区层层关卡，进入陕甘宁边区。他是进入红色区域进行采访报道的第一个西方记者，很快他到达了当时苏区临时首都保安（即志丹县），红都人民列队高举标语牌，上面用英文和中文写着：“欢迎美国记者来苏区调查！”“打倒日本帝国主义！”“中国革命万岁！”当时在保安的中共中央政治局委员都一一同斯诺握手表示欢迎。

7月14日，红都举行了欢迎斯诺和医学博士马海德（即乔治·海德斯，美籍黎巴嫩人，后取此中国名字）的欢迎会，毛泽东出席了欢迎会，并即席讲话。毛泽东给斯诺的第一个印象，如斯诺在访问中所说：“那时候，他颇为清癯，身材比一般中国人高，稍显佝偻，他目光炯炯，嘴唇宽厚，眉毛高耸，结实的下巴上长着一颗明显的黑痣，匀称的脑袋上留着长长、浓密的黑发——蒋介石曾为这个脑袋悬赏25万元，死的活的都成。”

7月15日，毛泽东接受斯诺的采访，同斯诺握手时说：“这里很穷，出无车，食无鱼，不过我们以诚交友。”然后，毛泽东在回答斯诺关于苏维埃政府对外政策问题的提问时说：“我们几万万的人民，一旦获得真正的解放，把他们巨大的潜在的生产力用在各方面创造性的活动上，能帮助改善全世界经济和提高世界文化水准。一个独立自由的中国，对全世界将有伟大的贡献。”7月16日晚上9时至次日凌晨2时，毛泽东对斯诺谈了中国抗日战争的形势、方针问题。7月18日、19日，毛泽东又对斯诺谈了苏维埃政府的对内政策问题。7月23日，毛泽东在同斯诺谈中国共产党与共产国际、苏联的关系时说：共产国际不是行政组织；除起顾问作用外，它并无任何政治权力。虽然中国共产党是共产国际的一员，但决不能说苏维埃中国是受莫斯科或共产国际统治。9月23日，斯诺到革命根据地一些地方采访后回到保安，毛泽东又接受了斯诺的采访，主要谈联合战线问题。然后，斯诺去前线部队进行采访。

到了秋末冬初的10月，斯诺从前线部队再次回到红都。这回毛泽东在斯诺多次诚恳的要求下，进行了长谈，一连几个夜晚毛泽东对斯诺谈了个人的经历和长征问题。谈话通常从晚上9时开始，一直谈到次日凌晨两点多才结束。每次谈话前，都是毛泽东邀请斯诺吃辣椒馒头，或者由贺子珍用当地的酸梅做成的甜食。这几次谈话，斯诺在访问记中写道："在以后接着几个晚上的谈话中，我们真像搞密谋的人一样躲在那个窑洞里，伏在那张铺着红毡的桌子上，蜡烛在我们中间毕剥着火花，我振笔疾书，一直到倦得倒头便睡为止。"毛泽东同斯诺谈话时，都由年轻干部吴黎平当翻译，当时在场的贺子珍也听得津津有味。斯诺在《一个共产党员的经历》一文中写道："在毛泽东追述往事的时候，我注意到有一个旁听者至少和我同样感兴趣，这就是他的妻子贺子珍。很明显，他所谈的关于自己和共产主义运动的许多事实是她以前从来没有听到过的。对毛在保安的大多数同志来说，也是这个情况。"毛泽东于1936年10月这几个夜晚同斯诺的谈话，是毛泽东唯一一次比较完整地谈了自己的经历。后来毛泽东在回答萧三关于斯诺写他的传记问题时，毛泽东说："斯诺缠了我4个夜晚，以后我再也不愿意谈自己的什么了。"可见，斯诺这次的谈话记录就更显得弥足珍贵了。

在采访中，斯诺感到毛泽东是个质朴、纯真且颇具幽默感的人，在他身上天真质朴的奇特品质同锐利的机智和老练世故奇妙地结合起来。关于斯诺写的对毛泽东访问记，斯诺说："我的访问记是全部用英文写出的，然后重新译成中文并由毛泽东校正。他以对细节的准确性要求很严而著称。"

1937年3月1日，毛泽东在延安凤凰山住处会见了美国作家、记者史沫特莱，回答她对中日战争与西安事变提出的一些问题。3月1日，毛泽东把这次同史沫特莱的谈话稿送交美国记者埃德加·斯诺，并给斯诺写了一信：

毛泽东与访问陕甘宁边区的第一位美国记者斯诺再次会面（1939）

“自你别去后，时时念到你的，你现在谅好！我同史沫特莱谈话，表示了我们政策的若干新的步骤，今托便人寄上一份，请收阅，并为宣播。我们都感谢你的。”

1938年5月，毛泽东写的《论持久战》中，他引用了于1936年同斯诺谈话的几个段落。其实，这是毛泽东结合抗战10个月的经验，把他那时同斯诺谈话的主要观点作了进一步有系统的发挥，写成了《论持久战》这部指挥抗战取得完全胜利的光辉名著。

1939年9月24日，毛泽东在位于离延安几华里之外的黄土岗上，一座“现代化”三居室的窑洞里，热情地接受了再次来到革命根据地的美国记者斯诺的采访。斯诺对毛泽东的印象是：“我再一次注意到他那不寻常的安详，好像什么事情也不会使他烦恼。他宽宏大量，同蒋介石的‘暴躁’是截然不同的。”这次谈话涉及范围很广泛。毛泽东回答了斯诺提出的关于陕甘宁边区问题、抗日与民主问题、国民党政府的阶级基础问题、中国革命问题、欧洲战争对日本等国的影响问题，以及罗斯福的外交政策问题、美国民主党与共和党的分歧问题等等。当斯诺翻阅当天的报纸时，他俩又谈了报纸上的新闻问题。

闲谈中，毛泽东还对斯诺说，他曾想出国去跑跑，但是在他对中国的一切没有了解之前，还不愿出去。虽然他曾涉足大半个中国，但中国还有很多“迷宫”有待他进一步去认识。中国同苏联一样，“本身就是一个大千世界”。

没两天，毛泽东出席了欢迎国民党骑兵第二军军长何柱国、美国记者斯诺和苏联朋友等人的宴会。宴会后，毛泽东又陪他们出席延安各界在中央大礼堂举行的欢迎晚会。

这次斯诺在延安逗留了10天。他多次同毛泽东在一起，除了采访外，还常同毛泽东等人一起喝茶聊天或打扑克，有时竟一连几个晚上轮换打扑克和打桥牌，甚至一直打到次日凌晨。

1957年，斯诺把1936年和1939年的两次采访，整理写成《红色中国杂记》一书出版。

1941年，因斯诺对“皖南事变”作了如实报道，受到国民党反动派的打击，被迫离开了中国。

（冯建霞）

毛泽东生平唯一一次为战友抬棺

张浩，原名林育英，长期从事职工运动，曾任全国总工会常委和海员总工会党团书记，1933年赴莫斯科任中共驻共产国际成员和赤色职工国际代表。1935年回国，12月参加瓦窑堡会议，传达共产国际七大关于建立世界反法西斯人民战线的精神，会后任中共中央白区工作委员会副书记。1936年1月，参与中共中央政治局的工作。他根据党中央的指示，以共产国际代表的身份，同张国焘分裂党的错误路线作斗争，迫使其取消了另立的伪“中央”，为维护党的团结做出了特殊贡献。抗日战争爆发后任八路军第129师政委。1938年回到延安任中共中央职工运动委员会副书记。1940年主持创办《中国工人》杂志。同年4月30日，在陕甘宁边区工人和各界群众庆祝五一国际劳动节的集会上演讲。由于他不顾多病的身躯，长期忘我地工作，终于积劳成疾，在演说时，突发脑溢血，从此卧床不起。在病中，他以坚韧不拔的毅力同病魔作斗争，同时努力继续为党做一些力所能及的工作。

时任第一二九师政委的张浩

如1941年1月，震惊中外的皖南事变发生后，党内有些同志把形势估计得过于严重，认为这是第

毛泽东等中央领导为张浩同志送殡（1942）

二个“四一二”事件，准备同国民党决裂。张浩得知消息后，立即写信给毛泽东，提出自己的看法：“目前的主要矛盾仍为帝国主义争夺世界霸权的战争，国内的阶级矛盾虽然存在着、发展着，但仍为次要矛盾。”他认为皖南事变不同于“四一二”事变，其中一个原因，“就是我们有力量，即有布尔什维克的党中央，有八路军、新四军，有抗日民主根据地，有广大的抗日民众，有许多的中间分子同情我们等等”。因此，他主张党在皖南事变后应继续坚持抗日民族统一战线的政策。毛泽东在回信中肯定了张浩的意见，要他好好保养身体，并亲自到医院看望了他。

张浩敬仰毛泽东，忠于党中央。他在弥留之际恳请党中央，在他死后将他埋葬在延安青年文化沟桃花岭。桃花岭和党中央、毛泽东的驻地隔河相望。张浩无限深情地说：“我要天天望着党中央、毛主席。”后来，党中央批准了他的遗愿。毛泽东还情深意长地说：“让张浩同志天天监督我们。”

1942年3月6日凌晨，张浩在延安中央医院病逝。

3月9日，毛泽东参加在中央党校门前广场上举行的安葬张浩的葬礼。毛泽东和中央各同志在灵台旁边轮流护灵之后，祭礼开始了。任弼时主祭，李克农读祭文，康生报告张浩的生平事略。老海员工人朱宝庭代表中央职工委，谢觉哉代表边区政府与边区200万人民，高长久代表边区几万工人相继致词。最后由张浩的家属致答词，次子林汉雄挥泪告诉大家："努力学习，准备将来好好工作，继续爸爸尚未完成的事业，这样才能对得住党，对得住死去的爸爸……"祭礼结束，张浩的灵柩被抬上白布围的灵车，送葬者迅速结成了漫长的行列，毛泽东亲为执绋。送葬队伍抵达桃花岭下，距墓地仍有一段高陡的山路，人们抬着灵柩爬上山顶。毛泽东同朱德、任弼时等亲自抬棺而行。队伍齐集山顶，灵柩送入墓穴。毛泽东又亲自给墓穴奠土，按照张浩生前的愿望，将他葬于桃花岭山顶。毛泽东还为墓碑题写了"张浩同志之墓"6个大字。

（刘　洋）

毛泽东调解陈毅与饶漱石之间的分歧

陈毅奉命于1944年3月7日抵达延安，准备参加中共七大。陈毅到达延安，受到毛泽东等中共中央领导人的热情欢迎。陈毅见到毛泽东，除要系统汇报华中抗战形势外，还想倾诉满腹委屈，报告他与饶漱石的争论问题。但毛泽东对陈毅说：如果你谈三年游击战争的经验，谈华中抗战的经验，那很好，我可以召集一个会议，请你谈三天三夜。至于与小饶的问题，我看还是不要提，一句话也不要提。关于这件事，华中曾经有个电报发到中央来。这电报在，如果你要看，我可以给你看，但是我看还是暂时不要看为好。陈毅说：那我就不看，华中的事也就不谈。毛泽东说：我欢迎你这个态度。之后，陈毅开始给中共中央和中央军委起草一份《1938年至1943年的华中工作总结报告》。

陈毅在延安

饶漱石

一个星期后，3月15日毛泽东对陈毅说：经过一个多礼拜的考虑，我以为你的基本态度是好的。你现在可以给华中发一个电报向他们作一个自我批评。我也同时发一个电报去讲一讲，这个问题就打一个结，你看如何？

陈毅说：这样好，我照办。于是，陈毅向饶漱石和华中局、军分委各同志发了份电报。电报在热忱地叙述了到延安后毛主席对他的巨大教育帮助后，诚恳地检讨了“我的某些认识上和处理方式常有不正确的地方”，并在结尾表示“七大后再回华中工作”。

毛泽东阅后，也起草了一份电报，于3月15日一同发往华中。毛泽东的电报说：“陈毅同志抵延，知悉华中工作发展情况，甚以为慰。关于陈、饶二同志间的争论问题，仅属于工作关系性质，在陈动身前，两同志已当面谈清，现已不成问题。中央完全相信，在陈、饶二同志及华中局、军分委各同志的领导下必能协和一致，执行中央路线，争取战争胜利。关于内战时期在闽西区域的争论，属于若干个别问题的性质，并非总路线的争论，而且早已正确地解决了。关于抗战时期皖南、苏南的工作，陈毅同志是执行中央路线的，不能与项英同志一概而论。无论是内战时期与抗战时期，陈毅同志都

叶挺军长和陈毅司令员

是有功劳的，未犯路线错误的。如有同志对以上两点不明了时，请漱石同志加以解释。”

毛泽东与陈毅在延安（1945）

饶漱石收到电报后，于3月16日上午以他个人的名义给毛泽东回电，回电内容反映了饶漱石的基本态度是“顶”。饶还告诉毛泽东，他另外给陈毅复电了。饶漱石对毛泽东的电报尚且是“顶”，给陈毅的复电就可想而知了。

陈毅正患感冒，看到饶给他的复电，顿时怒火中烧，提起笔来就给毛泽东写了封信，马上派人送去。

4月9日，毛泽东复信陈毅：“来信已悉，并送少奇同志阅看。凡事忍耐，多想自己缺点，增益其所不能；照顾大局，只要不妨大的原则，多多原谅人家。忍耐最难，但作为一个政治家，必须练习忍耐，这点意见，请你考虑。感冒宜多睡、少动、多食。余容面叙。”

4月10日，毛泽东去看望陈毅。陈毅如实地汇报了这两天的病情和心绪。毛泽东劝他说：你现在在延安，又不能回去，横直搞不清楚。这个事情容易解决，将来你回去是可以解决的，主要是人家对你有误会，你有什么办法？越解释，误会越大。陈毅当即表示：本来我的气很大，你这样一讲，我也没有什么意见了。

毛泽东的劝导，使陈毅又有茅塞顿开之感。陈毅结合阅读毛泽东送来的向他征求意见的《学习与对局》来检查自己的思想路线等问题。经过一昼夜的反复思考，他又给毛泽东写信，表示“今后多从打开脑筋重新认识自己去着手，由己及人，变更过去及人而不由己的办法”。

（张宏伟）

毛泽东批评《解放日报》不应夸大原子弹的作用

1945年8月6日，美军在日本广岛投下第一颗原子弹。9日，又在日本长崎投下第二颗原子弹。

8月9日，延安《解放日报》在第一版显著位置刊登了美国新闻处、合众社、路透社等媒体有关原子弹的8条消息，标题是《战争技术上的革命，原子弹首袭敌广岛》，下面在副题处作了摘要:“东京承认广岛所有生物被烧死。该城烟火弥漫，高达四万英尺。敌内阁当日举行会议。”此外，第一版上还刊登了合众社3条消息，标题是《同盟国将发出新公告，促使日寇迅速投降，否则即将以原子弹摧毁日本》。而第三版对原子弹威力的宣传更为集中，头条是“杜鲁门宣布使用原子弹攻日，此种炸弹较二万吨的TNT的威力还大，较英国顶大的巨弹爆炸力大二千多倍”。同版还发表了中央社伦敦电:“英

原子弹爆炸

毛泽东作国际形势报告

报评原子弹”；路透社电：“阿特里及史汀生谈原子炸弹发明的经过”，“美报评原子弹的发明是科学与战争的革命”，说“原子弹可能为人类谋利益，也可能是死亡与毁灭”。

8月10日早晨，毛泽东把负责宣传和新闻工作的胡乔木、余光生和陈克寒叫到他的窑洞来，批评不应夸大原子弹的作用。毛泽东批评的大意，就是8月13日他在延安干部会议上讲演中的一段话：“原子弹能不能解决战争？不能。原子弹不能使日本投降。只有原子弹而没有人民的斗争，原子弹是空的。假如原子弹能够解决战争，为什么还要请苏联出兵？为什么投了两颗原子弹日本还不投降，而苏联一出兵日本就投降了呢？我们有些同志也相信原子弹了不起，这是很错误的。这些同志看问题，还不如一个英国贵族。英国有个勋爵，叫蒙巴顿。他说认为原子弹能解决战争是最大的错误。我们这些同志比蒙巴顿还落后。这些同志把原子弹看得神乎

《解放日报》社旧址大门

其神，是受了什么影响呢？是资产阶级的影响。这种影响是从哪里来的呢？是从资产阶级的学校教育中来的，是从资产阶级的报纸、通讯社来的……我们队伍中的唯武器论，单纯军事观点，官僚主义、脱离群众的作风，个人主义思想等等，都是资产阶级的影响。对于我们队伍中的这些资产阶级的东西，也要像打扫灰尘一样，常常扫除。”

（石小丽）

毛泽东打麻将

毛泽东在工作之余有着许多爱好，比如读书、写诗填词、散步、游泳、看戏、听京剧、打乒乓球等，其实毛泽东还有一个爱好，就是打麻将。

毛泽东在延安时期，住的地方相对潮湿，没过多久他就患了肩周炎。保健医生马海德担心毛泽东长期这样身体会吃不消，就想利用打麻将来松弛毛泽东的神经。可是毛泽东打麻将也像指挥战斗一样全神贯注，马海德就不断地想办法分散他的注意力。后来马海德发现毛泽东最不喜欢“十三不靠”。这是一种很怪的打法，特点是全靠自己起牌，只有和牌时可以用别人打出来的牌来和，为了凑这个不靠，打牌的人经常在手里捏着别人需要的牌久久不放。毛泽东说这种打法既没有学问，又有很大的破坏作用。可马海德偏偏就总爱打“十三不靠”。

有一次，他捏着毛泽东要和的牌不放，这一把被别人和了。毛泽东嗔怪道：“都是老马打‘十三不靠’闹的，你就不能打别个牌吗？”马海德笑眯眯地说：“这也是你们教我的呀！不然我就不会打‘十三不靠’。”毛泽东马上接上说：“那不行，以后我们打牌取消‘十三不靠’。”马海德调皮地说：“取消‘十三不靠’，我就不跟你们玩了。”两个人像孩子似的争个不休，最后还是毛泽东让步了，他无可奈何地说：“好，好，就打你的‘十三不靠’吧！真是怪人打怪牌。”结束打牌后，毛泽东轻松地伸伸胳膊。马海德说：“怎么样，

毛泽东在延安打乒乓

主席，争争吵吵，比干打八圈开心多了吧！”毛泽东恍然大悟，笑着说：“亏你老马想得出来。”马海德说：“这对松弛你的神经有好处，否则你打牌脑子也不休息，怎么行啊？”毛泽东双手抱拳打趣地说：“那就感谢博士了！”

在延安，不仅马海德和毛泽东打过麻将，像叶剑英、叶子龙和朱仲丽等都和毛泽东打过麻将。一天，毛泽东和叶剑英等利用休息时间打麻将。第一局没开始，毛泽东幽默地说，咱们今天，“搬砖头”喽……毛主席察觉到在座的同志不理解，就解释说：打麻将好比面对着这么一堆“砖头”。这堆“砖头”好比一项艰巨的工作。对这艰巨的工作，不仅要用力气一次一次、一摞一摞地把它搬完，还要开动脑筋，发挥智慧，施展才能，就像调兵遣将、进攻敌人一样，灵活运用这一块一块“砖头”，使它们各得其所，充分发挥作用。你们说，对不对？经过他的这一番解说，同志们才明白了他一再说“搬砖头”的含义。

这次麻将一连打了数盘。毛泽东越打越有兴趣，不像往常那样中途告退了。他边打边说：打麻将这里面有辩证法，有人一看到手的“点数”不好，就摇头叹气。这种态度，我看不可取。世界上一切事物都不是一成不变的。打麻将也一样，就是最坏的“点数”，只要统筹调配，安排使用得当，就会以劣代优，以弱胜强。相反，胸无全局，调配失利，再好的“点数”拿在手里也可能失败。最好的可能变成最坏的，最坏的也可能变成最好的。事在人为！……说到这里，他爽朗地哈哈大笑。忽然，他站起来向在座的同志们说了声“对不起”，然后迈着匆匆的脚步向他的办公室走去。每逢这个时候，大家就知道毛泽东已弄清或发现了一个正在考虑的关键问题，因而急忙起身，回房继续工作去了。

为了让毛泽东的肩周炎的病情有所缓解，朱仲丽也邀请毛泽东打过麻将。有一天，朱仲丽见毛泽东心情不错，便问：“主席，想不想陪我打麻将？”毛泽东无可奈何地说：“你的嘴就是厉害。好嘛，医院开来处方一个，打麻将四圈，目的是帮助肩关节的功能恢复。”朱仲丽马上吩咐卫生员拿来麻将，就在毛泽东窑洞里的小方桌上打了起来，大家有说有笑，给紧张的战斗生活平添了不少情趣。在玩牌时，朱仲丽总是想法让毛泽东玩得开心，以便多玩几圈，达到活动关节的目的。因此，她常常坐在毛泽东上手，故意出一些好牌让他“吃”。毛泽东连连“和牌”，气得叶子龙直瞪眼。有一次，毛泽东“和牌”后，笑着对大家说：“如果是开赌场，只要朱仲丽坐在我的上家，我敢下赌万万元，必成大富翁。你这个同志是不是在收买我，给我金钱炮弹，叫我当资本家呀？”满屋子的人顿时大笑不止。

（郝　璐）

海伦一封迟交的信

1937年4月美国记者海伦从西安只身来到延安采访。当时，恰逢中共中央召开会议，海伦有幸见到了毛泽东等40多位中央领导，唯有任弼时、邓小平已率领部队前往云阳镇。

海伦深感遗憾，就找到毛泽东，请求帮助她去红军战斗的前线采访。毛泽东则担心她的安全，显得有些疑虑。

“我目睹和采访过1932年的上海之战，我还冒险冲过西安城。”海伦信心十足，打消了毛泽东的担心。

毛泽东和外国记者在一起

（右起：欧文·拉蒂其尔、菲利普·贾菲、毛泽东、贾菲夫人、比森、海伦·斯诺）

“那好吧，我为你写一封证明信，给在前线的邓小平。”毛泽东一面执笔写信，一面甩开那遮住眼睛的浓密的黑发。

这是写给当时八路军政治部主任任弼时、副主任邓小平的信。信中写道：

弼时、小平同志：

斯诺夫人随部队一起赴前方，作为战地记者，向外写报道。请在工作、生活诸方面予以协助和关照。

致礼

毛泽东

1937年8月19日

海伦·斯诺与朱德在延安合影（1937.5）

海伦带着这封亲笔信，迅速整理行装，踏上了赶往部队驻地的行程。不巧的是，由于路途遇到波折，当她赶到部队驻地云阳一带时，邓小平已率部开赴抗战前线，仅仅差了几个小时。后来，海伦拿着这封信，到各个解放区去采访调查，通行无阻。但遗憾的是一直没有见到邓小平。

中美正式建交后，以邓小平副总理为团长的中国代表团于1979年前往美国访问。海伦听说后，喜出望外，即刻从家乡康奈狄州前往华盛顿，见到了邓小平。

邓小平热情地握住海伦的手，亲切地说：

“你可是大名鼎鼎的记者啊，我听说过的，听说过的，遗憾的是，我们今天才见面。”

“是的，真难找啊！我已经找了你42年。”海伦一边说着，一边兴奋地把自己珍藏了42年的毛泽东的亲笔信交给了邓小平。

（郝　璐）

“长征鸡”的故事

毛泽东在延安

毛泽东在延安工作生活长达10年，在这漫长的岁月里，作为中国共产党的领袖，他过着与陕北老百姓一样的生活。吃的是粗茶淡饭，穿的是带补丁的衣服，住的是农民的窑洞。每月和普通机关工作人员一样领5元的伙食费。

当时陕北不产大米，白面也很少。老百姓吃的口粮以小米和其他杂粮为主。毛泽东的主食，一是钱钱饭（就是小米与黑豆碾成豆片）掺合在一起煮成的饭，这是毛泽东在延安时最常吃的主食。毛泽东还喜欢吃用大米、小米、豆类、红薯掺在一起蒸的饭，他还为其取了个响亮的名字叫八宝饭。另外就是用大米和小米混合制成的“二米饭”，这种饭据说在解放后仍是毛泽东餐桌上的看家主食。副食以蔬菜为主，极少见到肉，油也不多。常吃的有辣椒、土豆、菠菜、小白菜等。

偶尔也有“开荤”的时候。据毛泽东的机要秘书叶子龙回忆：在他结婚后不久的一天，他们正在吃饭，住在隔壁的毛泽东走了进去，看到桌上有一碗鸡肉，开玩笑说：“好啊！叶子龙，你们吃这么好的东西，为什么不叫我？”说着用手抓了一块放进嘴里，夸道：

转战陕北期间，毛泽东在小河村与邻居一起吃饭。

“味道不错，这菜叫什么名字？”

叶子龙说：“这是邓发的夫人陈慧清在长征路上教我做的。那天，我们经过很长时间的行军，一天都没有吃饭了，休息时，陈惠清对我和同样饿得发慌的另一个小鬼说：‘邓发同志在香港做工时，学会了做菜的好手艺，特别是做鸡拿手。现在我就教你们一种：把鸡洗净切块，用佐料腌一个小时，然后放油锅里炸成金黄色取出；锅里放豆豉、红辣椒炒香后将鸡块倒入，煸炒几分钟即可。’当时说得我们直流口水。现在条件好些了，我就按照她教的方法做了这道菜。”

毛泽东说：“原来这菜还有来历呢，那就叫‘长征鸡’如何？你不要保密，以后也给我做来吃一吃嘛！”

此后，叶子龙给毛泽东做过好多次“长征鸡”，直到进城后，这道菜仍是毛泽东餐桌上的保留菜。

（王　瑛）

毛泽东五赞习仲勋

习仲勋是杰出的无产阶级革命家，我党、我军卓越的政治工作领导人，陕甘边革命根据地的主要创建者和领导者之一。他一生实事求是，坚持原则，立场坚定，顾全大局，曾五次受到毛泽东的盛赞。

毛泽东为习仲勋题词“党的利益在第一位”

毛泽东与习仲勋的第一次接触是在1935年，毛泽东对习仲勋是未见其人，先闻其名。1935年毛泽东率领中央红军长征抵达陕北根据地，在几处村落墙壁和大树上，看见张贴时日已久的《陕甘边苏维埃政府布告》，上面署名“主席习仲勋”，这算是对习仲勋之名有了一个初步的印象。

中共中央西北局书记习仲勋
（1945.10—1949.5）

1935年9月，陕北搞起了“肃反”运动，把刘志丹、习仲勋等定为“反革命”，关押起来。毛泽东到达陕北后立即指示：“停止逮捕，停止审查，停止杀人，一切听候中央解决。”接着，毛泽东派出工作组前往调查，事实表明极“左”分子所强加在习仲勋等人头上的“罪名”完全不成立，是一种陷害。调查结果出

来后，毛泽东果断地给刘志丹、习仲勋等人平反。

毛泽东率中央机关来到瓦窑堡后，第一件事就是要见习仲勋。一见面，毛泽东十分惊讶，说："原来你这么年轻。"这一年，习仲勋刚刚23岁。毛泽东和他谈了许多话。习仲勋对革命事业的忠诚和头脑清醒、办事干练的作风给毛泽东留下深刻印象。

1936年，习仲勋任关中特区苏维埃政府副主席、党团书记，负责守卫陕甘宁边区南大门长达6年时间。6年间，习仲勋组织领导分区军民同国民党顽固派进行军事、政治和经济斗争，贯彻执行党的抗日民族统一战线政策，赢得了党和人民群众的信赖和拥戴。

从1942年10月至1943年1月14日，在党中央和毛主席的直接领导下，召开了中共中央西北局高级干部会议。会议全面研究了边区的历史和现状，正确解决了边区历史上的是非问题，同时表彰了王震、习仲勋等22位在群众中有威望的模范干部和生产英雄。毛泽东亲笔为习仲勋书写"党的利益在第一位"的题词，予以表彰，足见器重有加。

"他是从群众中走出来的群众领袖"

1945年10月，中共中央西北局书记高岗受中央之命，率领一批干部离开延安到东北开展工作。在选配西北局书记一职时，毛泽东说："我们要选择一个年轻的担任西北局书记，他就是习仲勋同志。他是群众领袖，是一个从群众中走出来的群众领袖。"这一年，习仲勋33岁，时任中共中央组织部副部长。

1947年2月10日，胡宗南部队进攻延安前，以毛泽东为首的中央军委决定：独一旅、三五八旅、新四旅、教导旅、警备一旅、警备三旅组成陕甘宁野战集团军，任命张宗逊为司令员、习仲勋为政委。3月16日，毛泽东和中央军委决定：自3月17日起，边区一切部队，统归彭德怀、习仲勋指挥，任命彭德怀为西北野战军司令员兼政委、习仲勋为副政委。事实证明，毛泽东的考虑是十分周到的。彭德怀、习仲勋指挥西北人民解放军依靠陕甘宁边区优越的群众条件和有利的地形，正确运用毛泽东制定的“蘑菇”战术，与十倍于己之敌展开殊死斗争，相继取得青化砭、羊马河、蟠龙镇“三战三捷”和陇东、三边战斗的胜利，大大挫伤了国民党军的进攻锐气，使蒋介石“三个月解决问题”的企图化为泡影。作为优秀的政治工作领导者，习仲勋在整个解放战争期间，和彭德怀、贺龙一起，或转战西北战场，或开展新式整军运动等军队政治工作，或组织后方支前，为解放大西北，解放全中国，做出了卓越的贡献。

“如今他已经‘炉火纯青’”

1947年冬，在陕北绥德义合镇举行的陕甘宁晋绥边区土改会议上刮起一股极左歪风。在所谓坚持“贫雇农路线”反对“中农路线”的口号下，发生少数人起来乱斗、乱扣、乱打、乱拷、乱没收财产、乱扫地出门的极端混乱现象。更甚者，有的烈士家属被扫地出门，有的劳动英雄因有余粮被当成斗争对象。习仲勋于1948年1月4日至2月8日一个多月内，就“老解放区的土地改革问题”、“要注意克服土地改革中‘左’的情绪”和“按三类地区有区别地进行土地改革”等重大问题，向党中央、毛主席三次函电，直言不讳地提出：反对“左”倾情绪。

毛泽东阅后指示：“完全同意习仲勋同志这些意见。华北、华中各老解放区有同样情形者，务须密切注意改正‘左’的错误。凡犯有‘左’的错误的地方，只要领导机关处理得法，几个星期即可纠正过来，不要拖延很久才去纠正。同时注意，不要使下面因为纠正‘左’而误解为不要动。”不久，中央由周恩来起草的《关于老区半老区土改问题的决定》颁发各个解放区。

1952年初，习仲勋任西北局书记和西北军政委员会副主席。一天，薄一波向毛泽东汇报工作，毛泽东正在阅读习仲勋从西安发来的《关于中共中央西北局委员会全体会议情况》的报告。这个报告是关于西北地区的土地改革、统一战线和民族工作等方面的，内容丰富，论述精辟。毛泽东看了十分满意，问薄一波："你讲讲，习仲勋这个同志怎么样？"早在延安时，薄一波就听到毛泽东赞誉过习仲勋"年轻有为"，于是便以此语作了回答。毛泽东说："如今他已经'炉火纯青'。"

"诸葛亮七擒孟获，你比诸葛亮还厉害"

西北地区有汉、回、藏、维、蒙等十多个兄弟民族，情况复杂，经济文化落后。习仲勋提出一切工作都要在民族团结基础上采取稳进慎重的方针进行。争取青海省昂拉部落第十二代千户项谦投诚，是习仲勋解放初期在西北地区成功地解决民族问题的一个典型。

1949年底，项谦纠集一〇〇师师长谭呈祥、骑兵十四旅旅长马成贤等反革命武装，组织所谓"反共救国军"第二军，发动叛乱。在平息叛乱的斗争中，习仲勋认为应当把国民党残匪和对我党有怀疑态度的藏族上层人士加以区别，尽量做好政治争取工作，分化瓦解叛乱集团，由此拉开了争取项谦投诚工作的序幕。

习仲勋，陕西富平人。参与创建以照金、南梁为中心的陕甘边革命根据地。1934年11月，当选为陕甘边苏维埃政府主席

1950年8月，项谦投诚，来到西宁，向人民政府深表悔悟。但是，回到昂拉却又背信食言。

从1950年9月到1952年4月，中共青海省委统战部长周仁山、藏传佛教大师喜饶嘉措、藏族部落头人、寺院活佛等50余人，身入虎穴，亲赴昂拉，先后与项谦和平谈判达17次之多。习仲勋亲自领导这场斗争，他高瞻远瞩，多次指示：正确解决项谦叛乱，不仅对解救昂拉藏族同胞关系极大，而且对于我党在青海其他藏区和少数民族地区站稳脚跟、建立人民政权、开展工作关系极大；甚至对于甘、川、康藏区乃至西藏也有重大影响。

1951年9月，对项谦第八次政治争取失败后，人们义愤填膺，在青海省各族各界代表会议上，代表们坚决要求政府出兵进剿昂拉。习仲勋当即复电劝阻。

1952年5月1日发起的平叛战斗于5月3日结束，项谦隐匿在同仁县南乎加该森林。有些人认为争取项谦可能性不大，没有什么价值。习仲勋即电青海省委书记张仲良：只要将昂拉地区工作做好，不犯错误，争取项谦归来的可能性是很大的；尽速派出项谦信任的汉藏人员向项谦诚恳表示，只有他向政府投诚，则对他负责到底；项谦若回来试探，不管真诚与否，我们均应以诚相待，以恩感化。

经过反复细致的争取工作后，同年7月，项谦终于从南乎加该森林投诚。8月11日，项谦在兰州负疚抱悔地握着习仲勋的手，向习仲勋献上洁白的哈达，表示感恩之情。

事后，毛泽东见到习仲勋说："仲勋，你真厉害，诸葛亮七擒孟获，你比诸葛亮还厉害。"

他"是一个活的马克思主义者"

习仲勋主政西北时期所表现出来的魄力、政治水平和工作能力，使毛主席和党中央更加器重他。新中国成立之初，刘少奇考虑到国家进入建设时期，向毛泽东建议将各中央局书记抽调进京，调整、增设中央和国家机关的部分机构。毛主席和党中央采纳了他的建议，经过反复考察和衡量，时任西北局第二书记的习仲勋被毛泽东钦点进京担任中宣部部长、政务院文化教育委员会副主任。

上任前，习仲勋真心实意地向毛泽东反映，按照他的经历和水

平，恐怕难以担当起全国文教宣传的领导工作。毛泽东说："蛇，看起来十分可怕，但印度人要蛇，得心应手，关键在于真正谦虚地摸到事物的客观规律，任何工作都可以做好！"

1951年初秋的一天傍晚，时任中宣部副部长的林默涵和胡乔木在中南海湖水中划船，看见毛泽东坐在湖岸藤椅憩息，他们将船划拢岸边，向毛主席问好。毛泽东说："告诉你们一个消息，马上给你们派一位新部长来。习仲勋同志到你们宣传部来当部长。他是一个政治家，这个人能实事求是，是一个活的马克思主义者。"

习仲勋与作家、艺术家有着广泛而密切的联系，深知他们的甘苦。他任西北局书记时，曾亲自领导了由20世纪30年代初著名电影演员陈波儿编导的、以誉满解放区的劳动英雄吴满有为原型的故事片《劳动英雄》的拍摄工作。新中国成立后，他在西北局工作期间，对著名京剧艺术家尚小云，著名豫剧艺术家常香玉、陈素贞，以及著名秦腔演员王天民等，在政治上、艺术活动上以及生活上，都倍加关怀，无微不至。诗人柯仲平在创作反映陕甘革命运动的史诗时，作家柳青在创作长篇小说《种谷记》、《铜墙铁壁》、《创业史》时，杜鹏程在创作《保卫延安》时，以及剧作家马健翎在处理工作与创作之间矛盾感到苦恼时，都得到过习仲勋的支持、帮助与鼓励，创作条件上的种种困难也都得以解决。

毛主席和党中央对习仲勋的工作相当满意。1958年夏季的一天下午，毛泽东在中南海游泳休息时，专门约习仲勋来到游泳池，进行了长时间的推心置腹的谈话。1959年4月中旬，在第二届全国人民代表大会第一次会议上，习仲勋被任命为国务院副总理兼秘书长。

在1962年10月党的八届十中全会上，习仲勋被康生诬告"利用小说进行反党"，受到停职审查，从此，习仲勋再也没有见过毛泽东。

（刘红曼）

周恩来劳山遇险与剿灭李青伍匪帮

1937年4月25日，为了进一步商讨国共合作问题，周恩来再次赴西安同国民党谈判。这次去西安有三辆大卡车，原打算24日一齐走，后因周恩来有要事没有处理完，其他两辆卡车由两个班护送，先走了，余下一辆车第二天25日才走。

周恩来与司机坐在驾驶室内，车厢里有副参谋长张云逸、参谋孔石泉、副官陈友才、机要员曾洪才、记者吴涛和4名警卫员，还有西北保卫局特务队副排长陈国桥率领的一个班战士，这25人就是中央军委副主席出行的阵容。

劳山遭袭时牺牲的陈友才

出发前，周恩来的随从副官陈有才遵照周恩来的指示，向大家介绍了西安的社会情况，并告诫大家：西安事变虽然和平解决了，但那里的斗争相当复杂，要提高警惕，防止敌人的破坏和暗害。他还交代了在路上和到西安后的注意事项，勉励大家认真负责做好安全保卫工作。

卡车开出延安城一直向南行驶。从延安到西安，要经过甘泉、富县、黄陵、铜川、耀县、富平等地，有几百公里。车出延安城，首先到达三十里铺，这里有西北保卫局设立的检查站，再往南的甘泉县就是国民党的地盘。从延安到西安是从高就低，行驶非常轻快，出城50多里后汽车却费力起来，这是攀登横亘在延安与甘泉之间的劳山。这劳山是陕北名山黄龙山的余脉，古来就是用兵之地。清兵进剿回民起义，在此处遭遇埋伏，留下千人大墓。东北军进攻红十五军团，也在此处被歼灭两个团。

卡车进入交界区，车上的战士都提高了警惕，翻过山脊下行，就进入甘泉县境了。刚刚驶入一个簸箕形山坳，突然听到枪声！周恩来立即观察地形，只见公路通过谷底的水潭，左边的苇塘紧挨陡峭的湫沿山，右边的梢林连接一带丘陵，正前方一道大坝梁上有一座孤立的山神庙。枪声不断从左右两侧响起。周恩来果断命令加速，冲过坝梁就可以摆脱伏击！司机老李加油前冲，对面坝梁又射来密集火力，轮胎被击破，司机倒在驾驶盘上，卡车就困在敌人的火力之下！

周恩来立即跳下卡车，车上的战士奋勇还击，周恩来指挥："下车！散开还击！"

张云逸命令副官陈友才带警卫掩护周恩来转移，又命令陈国桥指挥特务队阻击敌人。陈友才此时大腿中弹，无法行动，就指挥警卫员先行，自己掩护。敌人发现这个头戴礼帽身穿西服的人正在指挥，就把火力集中到陈友才身上，陈友才为了掩护周恩来，索性主动迎战，把敌人火力全吸引到自己这里！

正面的坝梁和左侧的山崖不断射来子弹，周恩来果断决定从右侧梢林突围。进入梢林敌人就看不清目标，但子弹还是不停地倾泻而来，张云逸的手被擦破，孔石泉的领子被穿了几个洞，所幸周恩来毫发未伤。

卡车处主动吸引敌人火力的陈友才牺牲了，陈国桥带领战士继续抵抗。保卫局特务队成员都是从红军部队中精选而来，个个英勇善战，可惜手中都是短枪，火力不如敌人。陈国桥自己率队顽强反击，又命令曹鸿都等人先撤，曹鸿都非要一起打，陈国桥揪住他的领子大喊："我又不是要你逃命，是要你去保护周副主席！"曹鸿都带人先撤，等到追上周恩来，也只剩自己一人了。前方有一道两人高的土崖拦路，曹鸿都攀爬上去，用绑腿拉上周恩来等人。后方的山坳，继续传来激烈的枪声……

周恩来、张云逸、孔石泉、曹鸿都等四人徒步回到三十里铺，在保卫局检查站将情况报告延安。

延安城顿时震惊！警卫团长黄霖抄起手枪就出门，总参谋长刘伯承集中了中央首长的马匹，毛泽东叮嘱黄霖："什么也不要顾虑，无论如何要把周副主席救回来！"黄霖带上十几个战士飞马而去。

保卫局局长周兴立即指派蔡顺礼组织集中骑兵，延安市公安局文书于桑带特务队骑兵排出发，周兴还发出鸡毛信命令独立团增援，延安市市委书记张汉武也集合民兵出发。延安县保卫局局长吴台亮眼泪夺眶而出——南线剿匪本是自己的任务！

清凉山上的红军大学里，身经百战的学员无心上课，万里长征中周副主席也没遇过这种危险！董必武出面讲话安慰大家。延安南门外，干部群众自发聚集而来，翘首远望。焦急等待的还有毛泽东、张闻天、朱德、李富春……

黄霖马快，首先赶到三十里铺警卫周恩来，随后，几十个红军骑兵陆续赶到。周恩来立即布置分工，由张云逸和检查站站长率队到劳山营救。

弹痕累累的卡车停在谷底，行李、文件散落在周围，牺牲的红军战士还保持着作战姿势！逐个检查，发现还有四个重伤员尚未牺牲，立即进行抢救。张云逸详细检查，发现牺牲的机要员口袋里的密码尚在，周恩来的毛毯被砍了几刀。张云逸把密码销毁，把毛毯收起。随后赶来的于桑，带领战士群众收敛了十八具烈士遗体。

劳山遇险处

三十里铺的周恩来了解到一切都已安排妥当，才和黄霖乘马返回延安。

延安南门外欢声雷动！毛泽东和干部群众始终在等周恩来。

周兴却难辞其咎！作为延安保卫工作的最高负责人，竟然使得中央保卫工作领导人遭遇危险，周兴受到有生以来最为严厉的一次批评。

关于周恩来在劳山遭遇伏击的事件，一直有形形色色的传说与猜测。

边区保安处认为：劳山伏击显然是敌人早有准备的行动，肯定是日本特务或国民党亲日派企图暗杀周恩来，破坏国共谈判。

王明认为：是托派来谋刺为国共合作而努力的共产党人周恩来。也有人分析：敌人只是抢走财物和武器，并未拿走文件和密码，可能是土匪抢劫。

还有人质疑：仅仅是一股土匪，怎能制造这么周密的伏击？

1937年4月25日，刚刚发生劳山事件的延安，很快从震惊转为镇定。第二天一早，周恩来就乘坐顾祝同派来迎接的双座小飞机，单人飞往西安。尽管对于昨天的伏击还有种种猜测，尽管前途依然潜伏险情，周恩来还是匆匆出发。出生入死，对于共产党领袖来说不过是家常便饭。

尽管中共中央并未认定劳山事件具有政治背景，但是无论如何，这个事件证明延安的安全状况十分严峻。

中共中央驻地的警卫工作，以往相当薄弱，没有什么严格的保卫措施。毛泽东在延安的第一处住地是凤凰山麓的石窑洞，当时大

人娃娃随意乱走，外面来人也没人拦。中央机关的警卫工作由西北保卫局负责，首长的警卫人员从保卫局的特务队中调派，警卫分队也由保安团担任。劳山事件之后，中共中央决定成立中央警卫营，从红一军团抽调四个人枪齐整的连队，调到凤凰山护卫中央机关。

故事还得追溯到1937年初，早在中共中央进驻延安后，边区党委就已经部署安全保卫工作了。抽调关中保卫局、边区保卫局、延安县保卫局的部队清剿在延安南部活动的土匪，临时剿匪司令部由延安县保卫局局长吴台亮为司令、贾腾云为政委。

延安与宜川、甘泉交界的金盆湾、临镇、云岩镇一带，活动着一支土匪队伍，抢劫商旅、残害群众，时常威胁延安的安全。于是，吴台亮带领各地集中的百把人枪，翻过劳山，穿过南泥湾，来到金盆湾。这里原是土匪的地盘，一户农民因卖粮给剿匪部队，全家五口当晚就被土匪杀害，这给了吴台亮一个下马威。部队没有给养，吴台亮操枪打鸟，恰巧一枪命中，很快“红军神枪司令”的威名便远扬，因而土匪闻风纷纷逃避。

通过社会调查初步搞清，这股土匪有明暗两股势力：明的是一股惯匪，头目叫李青伍；暗的是80多人的民团，头目是临镇土豪劣绅姬延寿；幕后操纵人是国民党甘泉县党部，还与西安的省党部有联系。敌人势大，边区党委又调独立团增援，团长白寿康、政委李太渊率领二百多人浩浩荡荡开赴临镇。

红军阵容强大，姬延寿一改常态，主动向吴台亮示好。农历三月初三，临镇举行一年一度的庙会，姬延寿特地请红军点戏。吴台亮叫白寿康出面应付，自己和李太渊混在人群中查看动向。小小的临镇，街面上熙熙攘攘，背地里暗流汹涌。国民党县党部的人来来往往，土匪也化装进城，更奇异的是民团，有的拼命大吃大喝，有的抢购擦枪油……特异情况显示民团将有动作。

当晚，吴台亮将司令部秘密迁出临镇，将部队埋伏在四面山头。时近午夜，山上传出两声清脆的枪声，临镇民团80多人钻入山

沟逃亡，而民团头目姬延寿却装作什么也不知道。吴台亮立即逮捕姬延寿，但是，如何剿匪却还要请示上级。

考虑到国共正在谈判合作，边区党委指示剿匪司令部也先行谈判。双方代表各持介绍信件，在临镇开始谈判，划分共产党控制的延安与国民党控制的甘泉的分界线。国民党甘泉县代表提出：以金盆湾到临镇的河流为界。吴台亮知道，土匪正藏匿在河流以南，这样划分没法剿匪，就气冲冲地说：“西安以南归你们管，西安以北归我们管！”此时，延安到西安之间的各县都由国民党管辖，吴台亮这一炮真是够狠。国民党代表立刻骂吴台亮“二杆子”，吴台亮则回之以“放屁”。谈判搞不下去，国民党向边区政府控告，说吴台亮破坏统一战线。很快毛泽东的指示传到剿匪司令部：“边区的土地一寸也不能丢！”吴台亮大为振奋：延安周围的地盘关乎中央的安全，早该收到我们手中！

继续谈判，共产党这边改派团政委贾腾云为代表。这贾腾云本是当地“哥老会”大爷，后来参加红军当了五团政委，谈判中见到土匪兄弟，很快打得火热。这天，贾腾云回到剿匪司令部，对吴台亮说明天再谈一次就差不多了。晚上，吴台亮刚刚睡着，就被贾腾云的警卫班长李天杰叫醒。李天杰汇报：贾腾云怂恿自己叛变，今晚先动手抓捕吴台亮，而后开枪报信，土匪从山上下来支援。见吴台亮不信，李天杰坚定地说：“你这个人好！你是革命的，他是反革命！”吴台亮想到：李天杰是长征过来的红军战士，而贾腾云平时的表现完全可能叛变。吴台亮立即叫醒自己的警卫班，布置抓捕贾腾云。刚刚讲完，贾腾云就进屋来抓吴台亮，吴台亮冲上去扼住贾腾云咽喉，警卫员围上去缴了他的枪。由于没有得到信号，这晚土匪没敢下山。第二天，吴台亮派人将贾腾云押送延安，同时请示是否包围土匪强令缴枪。边区党委回答：继续掌握情况，不可乱动。

由于相持不下，这股土匪向西转移，到甘泉通向富县的公路周围活动，人数扩大到200多人。之后，4月25日周恩来劳山遇险的事件就这样发生了。

事件发生后，边区党委立即把吴台亮叫到延安开会。郭洪涛、李德、谢觉哉、周兴、王达成、王观澜一起听取汇报，吴台亮痛哭流涕，边汇报、边检讨。与会人传阅剿匪司令部与边区党委的往来信件，立即表示：责任不在吴台亮司令员，责任在边区党委。吴台亮十分感动，提出剿匪方案。边区党委当即决定大规模进剿，仍然指派吴台亮为剿匪司令。

接下来的剿匪行动，更是多方面工作的配合，那个伏击事件就成为边区保安处侦察的要点。

周兴亲自布置，边区保安处侦察部长谢滋群抽调一批侦察员，秘密潜入土匪活动地域。张丕谋、李树标两人化装成货郎，到金盆湾一带侦察。张丕谋在老沟了解到，土匪头子李青伍近来很少回家，行为反常，只有土匪的"坐地大爷"李凤山来李青伍家中联络。张丕谋就秘密逮捕李凤山，审讯查出：劳山事件正是李青伍股匪所为！边区党委指挥剿匪部队从南面迂回，数县合剿，很快将土匪四面包围。这一带的群众早已对土匪恨之入骨，纷纷揭发，土匪头子接连落网。

通过审讯，查明了劳山事件真相。原来，李青伍与姬延寿勾结，早已四处抢劫，劳山事件之前还在三十里铺附近抢劫了东北军的车队。李青伍在延安南门安插了一个坐探冯长斗，专门通报延安商旅信息。周恩来出行之前，三辆卡车停在南门外待命两天，被冯长斗通报土匪。李青伍以为车上有财物，带人等候在劳山。打响之时，李青伍就在大坝梁上的山神庙中指挥，见卡车中跳出几个人向梢林转移并未布置追击，目标始终锁定卡车里的财物。出于工作需要，周恩来的副官陈友才穿西装戴礼帽，土匪以为这是大官，搜口袋却发现了周恩来的名片。本想发财，没想到杀了共产党的大人物！李青伍慌了：坏了！这下捅下乱子了！快跑！土匪临行不忘带走两个铁皮箱子，抬了十几里路，打开一看，没有黄金鸦片，全是文件书籍。害怕红军围剿的李青伍，先是逃避了赵家河的围剿，又躲到韩城，害怕不够远，又躲到山西临清县的樊条屯。直到冬天，李青伍才悄悄潜回老家，当即被守候的锄奸队逮捕。

大规模围剿，抓捕了多数匪徒。边区政府在甘谷驿、二十里铺、临镇等集镇，当众枪决李青伍、齐金权、姬延寿、韩老二、蒋海福、侯振国等土匪头子。公判坐探冯长斗的大会最为轰动，二十里铺人山人海，对这个企图暗害周副主席的坏蛋，群众恨不得用石头砸、用镢头砍！

按说，这个案件早已破获，但是，因为一些内情尚未公开，所以也有人产生了一些误解。

那土匪头子李青伍，小时候随父母从河南逃荒来到贡龙山老沟村，长大后成为当地一股土匪的小头目。1935年，红军将其收编，改称甘泉县突击队。1936年，东北军围攻陕北红军，李青伍杀害甘泉县苏维埃主席，投降国民党，红军来后又上山为匪。这股土匪中还有一些人逃脱围剿，转到国民党部队二十二军，为首者绰号“骑兵张”，解放战争中在榆林参加起义。

如此渊源，一些不了解内情的人，容易误认此案有党内斗争背景。其实，这个案件非但与党内斗争无关，而且也不能冤枉国民党。李青伍、姬延寿虽然确有国民党背景，但劳山伏击却是出于劫财目的，并未预谋杀害中共领袖。当时周恩来是国民党的谈判对象，频频出入于红区白区，国民党还得保护周恩来的安全呢！

有的案件越查背景越复杂，有的案件真相其实很简单。无论如何，保卫部门总要保持高度的警惕。

（齐　超）

周恩来摔伤右臂及去苏联治疗始末

由于奔赴延安的革命青年不断增多，陕甘宁边区的财政供给遇到了前所未有的困难，为了减轻供给压力，1939年春，中共中央决定陕甘宁边区几所主要大学的大部分师生向前方挺进。抗日军政大学由罗瑞卿任校长，陕北公学、鲁迅艺术学院、安吴堡战时青年训练班、延安工人学校，四校联合，成立“华北联合大学”，成仿吾任校长，一起开赴敌人后方办学。

7月9日，毛泽东应邀在桥儿沟天主堂西侧广场上为几千名准备奔赴前线的师生们演讲。毛泽东说：我送同志们三面旗帜，作为送你们上前线的礼物。这三面旗帜，又叫三个法宝。这就是统一战线、游击战争、革命团结。后来不久毛泽东在《共产党人发刊词》一文里将其总结为“统一战线、武装斗争、党的建设”。

去苏联治疗前夕，周恩来与刘少奇在延安

同时中共中央政治局决定，在华北联合大学出发上前线的前一天晚上，在陕北公学礼堂举行一个欢送晚会，在延安的中央政治局同志们出席，同上前线的师生员工代表见

面送别。7月10日晚上，毛泽东出席了欢送晚会。可容800人的陕北公学礼堂，人们挤坐得满满的。当毛泽东等到达时，全场热烈鼓掌。毛泽东等也频频向大家招手致意。坐下后，毛泽东问坐在他旁边的联大校长成仿吾："杨展来了没有？"杨展是杨开慧的侄女，幼年时同毛泽东、杨开慧一起生活过。1930年杨开慧在长沙被杀害后，暴尸刑场，当时年仅10岁的杨展曾多次要去背"霞姑"的遗体。1938年她是长沙周南女子师范学校的地下党支部书记。抗战爆发后，她常常同毛泽东通信。1938年秋她到达旬邑陕北公学分校学习。1939年6月下旬，随校出发上前线途经延安，才得有机会同毛泽东见面。当听到招呼找杨展，联大社会科学部副部长何干之很快地把杨展引到毛泽东身边。毛泽东握着杨展的手，凝视着她，问她家里还有什么人？现况怎样？……1941年，杨展在反"扫荡"中英勇牺牲。

晚会开始，由党中央组织部李富春代表党中央致欢送词，由成仿吾代表上前线的师生致答词。然后由陕北公学剧团演出一些精彩的小节目。节目开始了，但周恩来还没有到。这时，忽然有一个警卫员匆匆忙忙地跑进会场，向毛泽东报告："周副主席的马滑下沟里，周副主席摔伤了右臂，正在包扎中。"毛泽东和中央的同志们都很震惊，晚会只草草演了一两个小节目就立即结束了。毛泽东和中央的同志们都去看周恩来。

原来从周恩来当时的住地兰家坪到陕北公学礼堂，过延河时水深及膝，警卫员王来音给周恩来牵着马走在前边，江青骑着马紧随其后，警卫员蒋泽民走在最后边。到达对岸后，王来音丢开了周恩来马的缰绳，在河滩上穿鞋子。这时，江青两腿使劲一夹，那匹马一下子奔跑起来。周恩来骑的马和江青骑的马常在一起，江青的马一跑，周恩来骑的马也跟着跑去。这么一来，江青和周恩来的两匹马一前一后在延河边飞奔起来。马蹄声惊动了附近人家的一条狗，狗迎着马头，狂叫着跑过来。江青见状猛地一勒马，陡然拐进田间的小道。这时周恩来骑的大青马也已跑到，眼看就要撞上江青的马，周恩来急拉缰绳，偏不凑巧，周恩来的马头前是一个刨过树根的大土坑，大青马在紧急避让中将周恩来摔了下来。他本能地伸出右手去撑地，结果撞在了一块石头上折断了右臂。后来，经印度援华医疗队的柯棣华大夫和巴苏华大夫临时包扎，上了夹板。巴苏华大夫在华期间的日记《中国之行》中有这样一段记载："1939年7月10日，晚上10点钟，王（斌）部长请我们陪他去看周恩来同志。周恩来同志意外地从马上摔下来，右肘的小臂下端骨折了。延安所有第一流的医生都来了，给伤口进行了X光透视和包扎。我们看到他正在用左手练习写字，因为他知道很长时间他将不能用右手写字。"

到8月18日，3位印度大夫再次对周恩来的病情进行了检查，取下石膏后才发现骨折处的愈合很不理想。他的肘部已经不能活动，右臂肌肉开始萎缩。尽管进行了按摩和热敷，右臂仍然无法伸直，只能处于半弯曲状态，有成残废之虞。

8月20日，中共中央决定让周恩来赴苏联医治。8月27日，周恩来离开延安，然后乘蒋介石派来的道格拉斯专机飞抵兰州，邓颖超、王稼祥、陈昌浩等同行。李德也同机离延去苏。9月初在新疆迪化（今乌鲁木齐市）听取中共中央驻新疆代表邓发和陈潭秋汇报工作。分别会见一些在新疆工作的共产党员，向他们介绍全国抗日战争的形势，询问他们的工作、生活情况，并勉励他们坚持做好统一战线工作。还向负责文化工作的同志了解在新疆的进步文艺界人士的情况。看望了在那里学习装甲车、坦克技术的原红四方面军的人员，会见了中共中央派在新疆航空队学习航空技术的学员代表。

鉴于新疆地处西北边陲，是苏联援华的必经之路，战略地位十分重要，周恩来在迪化短暂停留期间，先后四次同盛世才谈判，争取盛继续同中共合作抗日。会谈后，对遭到盛排斥的中共党员和进

步人士作出妥善安排。

9月中旬到达莫斯科，14日任弼时联系安排住进了克里姆林宫医院。据当时正在苏联的师哲回忆说，他被安排给周恩来当翻译，所以他每天都要到医院去。当时苏联政府安排了许多高明的医生为他治疗，先后进行过3次大会诊，提出两个治疗方案，供周恩来选择：一个是把肘骨拆开，重新接上。这样胳膊可以运动自如，但是治疗过程太痛苦，而且时间长，当然还要冒手术不成功的风险。二是不开刀，采用按摩治疗的方法，这样做所需的时间短，但是坏处是愈合的效果不会太好。由于国内工作太忙，不允许在国外滞留太久的时间，所以周恩来坚持执行第二个方案。其实，这个回忆并不完全准确，实际上当时苏联医生确实给周恩来做了手术。邓颖超1939年10月8日致季米特洛夫的信中比较详细地介绍了周恩来在医院治疗的经过。据邓颖超的信说，手术是9月19日在克里姆林宫医院进行的。这是一次小手术，只切除了一小块突出的骨头。过了一周之后，即25日就已经拆线，经检查伤口已经全部愈合。从拆线的第二天起就开始新的疗程，主要是按摩、烤电、运动和浴疗，目的是使受伤的手臂逐渐恢复运动技能。按照教授和医生们的最初估计，他的手臂将可以弯曲45度。经过了一周卓有成效的治疗，他的手已经可以移动，手部的颤抖也已经减轻。但是，邓颖超在信中指出：根据现有的情况可以肯定，尽管以后手的弯曲程度要比预料的好些，但是要完全恢复将是不可能的，这只手最终将是半残疾的。

新的治疗过程并不比做手术轻松。治疗过程中，有时在注射麻药后，医生把他的胳膊强行按在一定的角度上加以固定，简直是痛苦异常，特别是在麻药失效后，病人疼痛难忍。按摩往往也十分痛苦，但是周恩来都以极大的毅力坚持了下来。

1940年3月，周恩来等人乘火车从莫斯科到阿拉木图，然后乘苏联专机经乌鲁木齐到兰州。同行的有邓颖超、蔡畅、陈郁（伪装

1940年春，周恩来伤愈后和中国驻共产国际代表任弼时从苏联归来。这是毛泽东、周恩来、任弼时等在欢迎大会主席台上

1940年周恩来治伤从苏联回来后，毛泽东出席欢迎会

的身份是副官)、师哲(伪装的身份是秘书)、任弼时和夫人陈琮英、日共领导人野坂参三(即冈野进,化名林哲,伪装的身份是参谋)、印尼的阿里阿罕(化名王大才,伪装的身份是卫士)共9人。为了加强中共和共产国际之间的电讯联络,共产国际给了他们一部电台,由周恩来回国时带回。这方面的工作由任弼时负责,共产国际还交给任弼时联络讯号、电报密码本,还有小型摄影机等物品。另外,当时共产国际还给中共一些资助。这些东西由任弼时带在身边,入境时便放到周恩来的公文包里,当时他是国民政府军事委员会政治部副主任,中将军衔,过境时中苏双方都享有豁免权。周恩来一行的飞机在伊宁稍事停留,顺利地通过了边境检查。到乌鲁木齐时,盛世才亲自到机场迎接,在这里总共停留了一个星期左右。在新疆,周恩来再次和盛世才进行了谈判,接见了中共在当地的干部和工作人员。到兰州后又停留了三四天,最终于3月25日到达延安。

(阎　娟)

周恩来的胡子

关于周恩来是为何剃掉胡子的，社会上流传着几种说法，只因这是周恩来生活中的事情，具体情况已无法考证。但是，从目前流传下来的几个说法中，西安事变后，周恩来已达到蓄胡的目的后剃掉胡子的这种说法比较可信。那么，周恩来为什么要蓄胡子呢？

1927年4月12日，蒋介石在上海发动了反革命政变。“四一二”反革命政变发生以后，周恩来代表共产党同国民党进行谈判，蒋介石对周恩来说：“在黄埔时，我是校长，你是政治部主任。现在，我

西安事变期间的周恩来

红军时期在延安的周恩来

是总司令，你还是来当政治部主任吧！”周恩来立即说：“我劝你还是跟革命军走吧！就算你把我抓住杀了我的头，我跟共产党走的意志还是不会变。你要靠国民党发家，如果我们把你抓住了，我就把胡子刮掉！”国共两党第一次合作破裂后，周恩来就一直留着长须。为了组建自己的军队，周恩来临危受命，到南昌组织和领导了闻名世界的八一南昌起义，向国民党反动派打响了第一枪，共产党开始有了自己的军队。在十年内战期间，周恩来的胡子一天比一天长，但从没有刮过。红军长征途中，有的同志不知道周恩来有“不抓住蒋介石，我就不刮胡子”这么个誓言，见他满脸长着大胡须，就开玩笑说他是“大胡子马克思”。他说：“称马克思我不敢当。我的胡须多，又叫周恩来，恩字与恩格斯看来有点挂钩，留着胡须可以鞭策我学习恩格斯。” 1936年12月12日，爱国将领张学良、杨虎城在西安发动“兵谏”，要求停止内战，一致抗日，扣押了蒋介石和随行人员。国民党统治集团内部分裂，大规模内战迫在眉睫，国家和民族的前途令人担忧。共产党为了顾全大局，派周恩来、叶剑英等去西安和蒋介石谈判，经过艰苦努力，耐心说服，克服重重阻力，在无损蒋介石声望和自尊心的情况下，和平解决了西安事变，促成了统一战线的建立和发展。周恩来在12月16日到达西安时，还是长长的胡子，就在他将要与还是阶下囚的蒋介石谈判的那天早晨，周恩来把胡子剪掉了，实现了他十年前的誓言。在谈判开始前，张学良将军看见他的胡子不见了，很惊奇地问：“美髯公，你的胡子呢？”周恩来对张学良说：“十年前，我和蒋先生有过约定，现在我把胡子剃了，那是因为我们胜利了。”

从此，周恩来就再也没有蓄过胡子。

（王　宁）

周恩来道奇车后拴黄牛

1947年中旬，国民党集结了23万兵力向延安发动了重点进攻。我人民解放军总部在边区的兵力不足敌人的十分之一，敌强我弱，以毛泽东为首的党中央决定主动撤离延安，转战陕北。

3月18日，毛泽东、周恩来、陆定一等中央领导人在彭德怀的催促下，最后一批撤出了他们生活战斗过十年之久的延安。他们乘坐的是美军驻延安观察组3月11日撤离时留下的几辆美国道奇牌中型吉普车。

周恩来在转战陕北途中

毛泽东、周恩来等首长在撤退途中还要勘察地形，部署下一步伏击进犯军的战斗，往往要走走停停。可是人停车不停，道奇车往来复去还要接送其他转移中的人员。

傍晚，一辆中型吉普车驶出了枪声不断的延安城。

突然，对面有一头受到惊吓的老黄牛疯一般地迎着汽车跑过来。司机为躲开黄牛猛打方向靠边行驶，黄牛擦着车身过去了，可汽车却倾倒在了斜坡上。司机等4人摸黑抬车，人少力小，无济于事，急得他们团团转。

正在此时，又一道电光划破夜空，另一辆道奇车在他们身前戛然而止。车上匆匆走下来的是周恩来副主席和另外几个随行人员。周恩来见状，便挽起袖口带头走下坡来帮着抬车。

杨尚昆知道周副主席胳膊有伤，但怎么劝也劝不住。大家分布在车的前前后后一齐动手，听着周副主席的号子声，劲往一处使，硬是把这笨重的车从斜坡上给掀了上来。

周恩来捋下袖子，擦擦前额上的汗珠，而后挥挥手，幽默地对杨尚昆说："你们还要布置作战，有具体任务，赶快前边走吧！你还在这里等什么，等胡宗南赶上来打麻将牌不成？我们尾随在后，万一你们在前面翻了车，好再帮你抬汽车！"

杨尚昆和李涛听命，即刻在前边匆匆驱车上路，呼啸着直奔黄河口去了。周恩来则返身对卫士们下了另一道命令："调头，将汽车调过头来，咱们想法寻上

周恩来与邓颖超在延安合影

周恩来在办公

受惊的黄牛，一定要把老乡的黄牛还回去！”

他们缓缓地开着车，不顾战局的紧张和漆黑的夜色，睁大眼睛，苦苦搜寻着，终于在不远的路旁寻找到了这头老黄牛，用一根麻绳把牛拴在了车厢尾，才又调过车头向前慢悠悠地开动着。周恩来不时地回头观察黄牛跟随的情况，叫司机把车开得再慢些，再稳些，他知道黄牛可是陕北老乡的命根根呀！

终于，在前边八九里远的一个名叫寺家园的村庄里，他们寻到了黄牛的失主，这才如释重负，接着追赶前边的队伍去了。

周恩来与毛泽东、任弼时在绥德田庄，弃车骑马，率中央前委机关干部战士拐入了陕北的崇山峻岭中，开始了艰难的以步代车的千里转战。那几辆美国道奇车载着朱德、刘少奇等东渡黄河，驶向晋绥我中央工作委员会驻地。

（王　卫）

朱老总打篮球

在战争年代，朱德在戎马倥偬之余喜欢打篮球和观看篮球比赛。如果说他是一个地道的球迷，一点也不过分；说他是一名合格的篮球运动员，一点儿也不夸张。

在为中国革命浴血奋战的岁月里，部队的战斗生活虽然很紧张，但是，间隙的文体活动开展得也很活跃，尤其是体育活动更是部队官兵喜爱的项目。

因为篮球比赛简便易行，又热闹活跃，是部队常进行的活动。练兵场，老乡的谷场，都常常被战士们当作临时的球场。在根据地，战士们往往是把篮圈往门板上一钉，再把门板钉在球场两端的树腰上，哨子一响，紧张的比赛就开始了。

朱老总和战士们打篮球

在八路军总部机关驻地，每当举行篮球赛，只要有空，朱德总司令是必定到场。他有时是一位普通观众，坐在一旁观战，有时是一名正式队员，参加比赛。

但是，在球场上，他并不是只是随便活动活动，而是一个认真的运动员，满场奔跑抢球，非常活跃，并且勇猛，投篮命中率也很高。场外拉拉队则起劲地为他喊“加油”。打得激烈时，大家谁也不让谁，他也和一般球员一样，为了一个球的差误而争论着。有时，对方队员不敢大胆地和他抢球，他总是说："打球不拼不抢，还有什么意思？打仗我是总司令，打球我是运动员呀！"有时，对方队员无意中把总司令撞倒，很不好意思，他则一边拍着身上的土，一边笑着说："没什么，比赛嘛，就得有一股勇猛顽强的劲儿。今天我们在球场上敢打敢拼，明天我们在战场敢打必胜。"

红军长征到达陕北后，一天中午，朱德与同志们一起进行篮球比赛。

球员有中央军委机关的报务员、译电员、通讯员、勤务员等。朱德虽然是总司令，但是老当益壮，投篮准确，又是打前锋，连连进球，不断激起观众的阵阵掌声。对方输了球，有些急躁，队员抢球变得凶猛起来。正当朱德在己方篮下又得一球欲投篮时，对方有个长得五大三粗的勤务员急忙跳起"盖帽"。因用力过猛，不仅把球打飞了，而且手掌还落在总司令的鼻子上，朱德顿时流血不止。

大家赶忙围上去，有的说快去找医生，有的建议去医院。可

朱老总和战士们打排球

朱德在炮兵学校

是，朱德却若无其事地说："不要紧。"他拿点纸卷成一团堵住淌血的鼻孔，用手帕擦去脸上的血迹，一挥手，比赛又继续进行了。

比赛结束后，一些同志过来向朱德道歉，那位勤务员也忙向总司令检讨。朱德笑着说："球场打球不分上下，谁有本事谁得球。不是故意伤人，用不着检讨。再说球场就是战场，抢球不让人，没点拼劲怎能赢球呢？"

听了这些话，大家都变得很轻松。

在延安时期，总部机关经常进行篮球比赛，但是，最有趣的比赛，就是司令部对政治部的正式比赛了。

每当这时，朱德总司令和政治部主任任弼时就分别担任双方球队的队长。司令部作风顽强，技艺高超，久负盛名；政治部战术灵活，投篮准确，双方经常是打得难解难分。朱德和任弼时两个人也常常争球抢球，这时候，球场外的官兵和驻地的乡亲们就大喊大叫，为他们鼓掌；有时根据体力情况，或是为了调整战术，朱德常常是意犹未尽就被替换下场。每当这时，他总是笑眯眯地和战士们席地而坐，摘下帽子，边擦汗，边观战。

每到新驻地，不少当地的乡亲们还不知道这位“摘下帽子就擦汗”的老兵就是威震敌军、驰名中外的朱德总司令，乡亲们都亲热地叫他“老汉”。在球场上，乡亲们高声大叫：“老汉加油！”后来，“老汉加油！”成了朱德上场的一种信号，人们听到这喊声，就赶来观看朱德的篮球比赛。

（马　琼）

1935 1948

第二部分

红色恋情

邓小平与卓琳在延安的婚礼

邓小平一生结过三次婚，他的第一个妻子叫张锡瑗，比邓小平小3岁。青年时期参加过学生运动，后被党组织送到莫斯科中山大学学习。其间，与邓小平相识，回国后，1928年初结婚。不幸的是，1930年1月，张锡瑗竟因难产得病而去世。邓小平的第二个妻子叫金维映，人们叫她阿金。她和邓小平同岁，是1931年在上海相识的。同年7月中旬，他们同被派往江西中央苏区工作，一路同行，后来结为夫妻。1933年，在苏区和邓小平离婚。1938年春，中央送她去苏联治病。1941年，她在莫斯科郊区一家医院治疗期间，不幸牺牲于德军飞机的轰炸之中。

1939年，中共中央政治局在延安召开扩大会议，邓小平因此从抗日前线回到延安。到了延安以后，邓小平和老战友邓发住在一个窑洞里。那时，邓小平已经34岁了，邓发决心要给邓小平找一个妻子。于是，邓发带着邓小平到处转。他们听说公安部门的姑娘们不错，邓小平就把目标锁定在那儿了。那时，卓琳恰好在辖区政府保安处的一个训练班学习，邓小平在一帮学生里相中了她。

卓琳，原名浦琼英，云南省宣威县榕城镇普家山村人。1937年到达延安，并考上了延安陕北公学。1938年因工作需要化名卓琳。

有一次卓琳去曾希圣家，曾希圣说有人想跟她结婚，问她愿意不愿意。卓琳没问对方是谁，只说：“我还年轻，不想那么早结婚。”

邓小平并不灰心，后来就直接找卓琳谈话。邓小平说："我这个人年纪大了，在前方作战很辛苦，我想和你结婚，可是曾希圣和你谈了，你不同意。我这个人不太会说话，希望你考虑一下这个事情。我年纪比你大几岁这是我的缺点，我希望在其他方面可以弥补。"

邓小平第二次找卓琳谈话时，谈的是他的希望。卓琳听了，觉得这个人还可以，是个知识分子。另外，她那时候已经23岁，反正要结婚，就同意了和邓小平的婚事。

1939年9月初的一个傍晚，在延安杨家岭毛泽东的窑洞前，举行了一个别开生面的聚餐会。在这个聚餐会上，两对新人举行了婚礼，一对是邓小平和卓琳，另一对是孔原和许明。毛泽东、刘少奇、张闻天和夫人刘英、博古、李富春和夫人蔡畅一同来为他们祝福。大家在一起吃饭、喝酒。

在延安的中央领导同志平时难得为前方抗日将士举行婚礼，所以，简朴的仪式和简单的酒菜简化不了热闹的气氛。据刘英同志

邓小平与卓琳

说:“敬酒敬得一塌糊涂,孔原同志也是高兴了,喝酒喝得很多,最后就醉了,许明就埋怨他。可小平同志一点没醉。我就奇怪,小平同志平时不喝酒的,他怎么能够不醉呀?那么多酒,一杯杯的,他还豪饮,来者不拒。大家给他敬呀,他喝那么多酒,怎么不醉呀?闻天就说有假,我说什么有假?他说是白开水。”原来是邓发和李富春弄了一瓶白水充作酒水,才使得他们的老友邓小平免于一醉。结婚时,邓小平35岁,卓琳23岁,几天后,他们就一道启程奔赴前线。

此外,这两对新婚夫妇还留下了四个人在窑洞前的幸福合影。为什么是两对新婚夫妇四个人合影呢?由于当时的延安胶卷缺乏,为了留下幸福的瞬间,两对夫妇便站在一起,共同拍了一张结婚合影。

（郝　璐）

彭德怀和浦安修的恋爱故事

1938年9月，身为八路军副总司令的彭德怀已年过40，可身边连个伴侣都没有。他在延安停留期间，毛泽东、周恩来等中央领导人曾提醒他抓紧自己的婚事，但他总是回绝。陈赓作为彭德怀的老部下、老战友，把此事早看在眼里，着实为他着急，决定毛遂自荐为他做一次红娘。

一天，当着彭德怀的面，陈赓爽朗地说道："老总啊，我这个人挺喜欢当红娘，不知你愿不愿意我当这个差使？"

彭德怀整天大大咧咧，表面上看起来像个粗人，其实他心细着

彭德怀和浦安修在八路军总部前留影

彭德怀和浦安修在延安机场

呢，一下就听出了陈赓这话里的猫腻，便坦率地说道："陈旅长，你给别人当红娘我管不着，要是你有别的意思我可不赞成啰。"

聪明的陈赓感觉到彭德怀话里有话，笑了笑没作回答。在彭德怀的婚姻大事上，他琢磨最多，考虑最细，因此他知道彭德怀这样说包含了难言的苦衷。人非草木，孰能无情？看到同辈战友一个个都有了家室，他并非未曾动心，只是没有遇上机缘。

彭德怀依旧忙里忙外，并没有意识到陈赓正紧锣密鼓地安排一些事，想给他创造机会，好让一个"意外"的邂逅帮他擦出爱情的火花。

在一个夕阳西下的傍晚，陈赓别出心裁地组织了一场女子排球赛。开赛之前，陈赓兴冲冲地跑到彭德怀的办公室，开门见山地说："彭老总，今天下午举行机关有史以来的第一场女子排球赛，你是不是要去看看？"

"我没有时间！"正在看文件的彭德怀应了一声，接着兴致勃勃地说："陈赓你来看，这是刚接到的报告，我军又打了一个胜仗，歼灭敌人一个整营的兵力！"

陈赓一动不动，只是加强语气把刚才的话重复了一遍："彭老总，今天下午举行机关有史以来的第一场女子排球赛，你是不是要去看看?！"

"你看，我不是正在看文件嘛，哪来的时间啊！"彭德怀指着桌上的一堆文件，摆着手笑呵呵地说道。

陈赓很机敏，眉头一皱计上心来，说："看文件固然重要，可也要关心一下群众生活嘛，你不去，不是明摆着让姑娘们说……"

彭德怀一愣，耸耸肩打断了陈赓的话："我彭德怀有么事怕她们说嘛！"

"不去，她们会说您彭老总架子大。"陈赓向前走了两步接着说道，"要是去了呢，人家就没得说了，你想想是不是这么个道理?"

彭德怀被陈赓这么一激，立即放下手中的文件站了起来，干脆地说："我有什么架子嘛，去就去吧！"

于是彭德怀和陈赓说说笑笑，来到了比赛场地。裁判员一声哨响，一场扣人心弦的女子排球赛开始了。别看姑娘们平日里文文静静，打起比赛来却个个生龙活虎，浑身上下透着一股朝气。每当

杨家岭窑洞前的合影（左起：蔡畅、彭德怀、浦安修、刘志兰）

扣死或者封住一个球，场外便响起阵阵喝彩声和鼓掌声。站在一旁的陈赓没有把心思放在排球赛上，而是不时地把目光投向彭德怀。陈赓忽然心头一阵窃喜，因为他发现彭德怀对其中的一个戴眼镜的高个子队员颇有兴趣，那女队员跑到哪儿，他的目光便跟到哪儿，只要她接个好球或者扣了个好球，他就会悄悄地抬起手鼓掌。

“哦，真快！那个戴眼镜的高个子队员起跳真快！”陈赓故意放大嗓门说。

彭德怀偏过头看着陈赓，笑着说：“可不，我看那个高个子队员有空中优势，只要把球传给她，她百分之八十扣死，还呼呼直响嘞！”

陈赓听了开心得直想笑。比赛结束后，彭德怀在陈赓的建议下，接见了全体队员，并笑呵呵地挨个与大家握手，询问每个人的名字，哪里人，哪年参加革命的。当他与那个高个子队员握手时，还真诚地说：“你的球技熟练，动作灵巧，很吸引人啊！”

这时的彭德怀对陈赓精心安排的用意还一无所知。送走队员后，机智的陈赓先发制人，对彭德怀说道：“彭老总，你看怎么样啊？”

彭德怀不动声色地盯着陈赓，反问道：“什么怎么样？”

“我是说哪个女队员好一些，发展前途大一些？”

“哦，我看那个戴眼镜的高个子不错，身材修长，弹跳力好，技术也比较全面，好好练下去会很有发展的。”

陈赓听了，顿时有一种天赐良机绝对不能错过的感觉。于是他借题发挥，说道：“对啦，那个细高个叫浦安修，原在北平女子师范大学念书，在学校时就参加了共产党，担任地下交通，做党的文件、指示、消息的传递工作，去年才投奔延安的，在陕北公学教书，不光学问、长相好，思想、人品也好，同志们都很赞扬她。”

彭德怀没想到陈赓会如此讲，一下子如梦初醒，赶忙说：“你不要给我介绍这些嘛！”

陈赓看时机成熟，诙谐地说道："哎，我当个红娘，帮你找个莺莺小姐有什么不好！"

听了这句话，彭德怀显得有点难为情，脸上略带窘色，掩饰性地向远处眺望不再作声。

陈赓看懂了彭德怀的心思，打趣地说："老总不要不好意思嘛！"

听了此话，彭德怀终于朗声大笑。陈赓也跟着呵呵大笑起来。

"别看浦安修是城市姑娘又是大学生，可她却非常能吃苦。据说当时她从北平来延安，通车的地方坐车，不通车的地方就两只脚板，走几十里路、爬几十道坡都不在话下。所以就有人打趣说：'浦安修莫不是铁姑娘吧！一个大学生，如此不畏劳苦，实在难能可贵！'"

听着陈赓的介绍，彭德怀的心里不由得乐滋滋的，跟着说道："是啊，干革命要能吃苦，不能吃苦的女人不能做革命者的终身伴侣哟！"

"她也有一双巧手，能写文章，会做一手好针线，会绣花，会裁剪，手巧得堪称一流……"

"别介绍那么多了。"彭德怀笑了笑，直截了当地对陈赓说："谈对象要靠自己去观察和了解啊！"

就这样，经过陈赓的热心牵线，彭德怀和浦安修谈起了恋爱，1938年底，他俩在延安的一孔窑洞里举行了庄严而简朴的婚礼。

（冯建霞）

王稼祥与朱仲丽的爱情故事

1938年朱仲丽到达延安不久，党中央召开六届六中全会，她作为医生被派到会议做医疗保健服务工作。会议胜利闭幕那天，朱仲丽参加了中央领导同志和各地区代表们的聚餐会，那戏剧性的一幕就发生在聚餐结束之后。

毛泽东同一群领导人出门的时候，看见了朱仲丽。毛泽东和她愉快地聊了起来，并向身边的王稼祥介绍说:“稼祥，来，你们认识一下。这是我的小老乡朱仲丽，她是我们的保健医生，边区医院的外科大夫，我们这些人都归她管，你以后也要同她打交道的。”王稼祥与朱仲丽的一世情缘就这样开始了。

可以说，王稼祥与朱仲丽结为夫妻，是毛泽东在有意无意间牵的红线。几十年后，毛泽东对这件自己偶然促成的情缘依然记忆犹新。有一次在与朱仲丽的闲谈中还乐呵呵地提及，逗趣地说:“假如没有那次谈话，王稼祥同志就没有机会见到你，至少会推迟时间……”朱仲丽微笑着点点头。可以说，毛泽东做了他们夫妇俩的媒人。

毛泽东和朱仲丽的结识可以追溯到15年前，那时的毛泽东只有30岁，朱仲丽才只有8岁。她在家里排行第八，所以都叫她八妹子。朱仲丽的爸爸朱剑凡（明朝皇族的后代）曾经在日本留学，向往革命，晚清时节举家兴学，创办了“湖南私立周南女子中学”，向警予、杨开慧、蔡畅、丁玲都曾在这里求学。当年毛泽东在长沙学习，通过老师杨昌济认识了朱剑凡。共同的志趣使毛泽东和朱剑凡成为忘年之交。当时毛泽东的生活比较困难，朱剑凡比较喜欢毛泽东，就经常让毛泽东住到家里，从各个方面支持毛泽东。

朱仲丽于1915年出生，她是八个兄弟姐妹中最小的一个，由于从小就与革命人士接触，对革命早已心驰神往，11岁时她随家人搬到上海，15岁便协助父亲为共产党的地下组织做事。1932年，17岁的朱仲丽考上了上海同德医学院。因为生长在革命家庭，自小就结识了杨开慧和毛泽东，这免不了使朱仲丽对革命充满了无限向往。在上海同德医学院读书期间，她积极参与共产党的地下活动，曾经被国民政府逮捕。但朱仲丽只是个大学生，国民政府也没有抓到她什么确实的把柄，不久朱仲丽便被保释，最终完成了学业。毕业后，朱仲丽先是在南京中央医院就职，很快抗战爆发了，朱仲丽改变了生活的路径，毅然奔赴革命圣地延安。

刚到延安的朱仲丽被分配在边区医院当外科大夫。所谓医院其实也就是几孔窑洞，在这里，朱仲丽先后在边区医院当过外科大夫、门诊部主任，还曾担任过白求恩大夫的助手；在王家坪和杨家

王稼祥与朱仲丽在延安

岭医务所，她还担任过所长；在这里，朱仲丽锯过战士的大腿，为扁桃体炎、鼻子瘤、盲肠炎、小肠疝气等病人做过手术，引起延安很多老同志的关注。这些老首长们没有想到，一个文质彬彬的小女孩子竟然敢给人开刀。动手术的时候他们就在玻璃窗外面看，甚至贺龙和杨尚昆都曾经前来观看过。

在延安，朱仲丽再次见到了那个8岁时认识的毛叔叔，只是那时候的毛叔叔现在已经成为了群众爱戴的领袖，成为了现在的毛泽东。毛泽东对当年的八妹子特别热情，初次见面的时候和朱仲丽谈了很多，他鼓励朱仲丽说："你现在已当上大夫了，你要做一个为人民服务的好医生，我们边区缺医缺药不要紧，有你们这些为人民服务的革命医生，为病人利益救死扶伤，是会克服暂时的困难的。"

1938年8月，王稼祥从莫斯科回到党中央所在地延安，王稼祥一到延安，毛泽东就找他做了长谈。有一天，毛泽东还非常正式地问道："稼祥，你该选择一位女同志当你的对象了，难道整日当和尚吗？"

有了这句话，我们就明白了毛泽东为什么要特意把八妹子介绍给王稼祥了。

王稼祥出身于一个富裕的农民家庭，父亲希望他接管家业，但他却执意要上学，结果到了上海，进入了上海大学，并参加了激进的青年运动，又于1925年前往莫斯科。王稼祥这个富于传奇色彩的年轻的共产党领袖，不仅留学苏联，还担任过莫斯科中山大学的红色教授，是共产党的理论家，写文章是他的一大特长。1931年王稼祥回国，在中央苏区同毛泽东第一次见面，两人的友谊在长征中得到真正的发展，遵义会议上，王稼祥曾以举足轻重的一票，拥戴毛泽东。1938年8月，王稼祥伤愈从苏联回到延安，带回了共产国际关于中共中央领导机关要以毛泽东为首解决统一领导问题的指示。如果说遵义会议确立了毛泽东的军事领导地位，那么，六届六中全会则确立了毛泽东在全党的领导地位。20世纪后50多年的岁月里最重要的中国专有词汇——“毛泽东思想”，正是出自王稼祥的文章。

那是1943年为纪念党的生日而写的，王稼祥一共写了7 000字，完了以后，叫勤务员送到毛泽东那去看。毛泽东一个字都没改，批个“同意”。1943年7月5日，王稼祥在延安《解放日报》上发表了《中国共产党与中国民族解放的道路》，在这篇文章里王稼祥第一次使用了“毛泽东思想”这个概念。两年后，“毛泽东思想”被确立为中共指导思想。

同朱仲丽的这次偶然相见，给王稼祥留下了很好的印象。王稼祥对朱仲丽几乎是一见钟情。当时，王稼祥是中共党内的核心人物，尽管看上去文质彬彬，虽然只有32岁，却是中央军委副主席兼第十八集团军总政治部主任。这么年轻，地位这么高，难免有很多人为他做媒，但是他都不同意，和朱仲丽初次见面他就从心底喜欢上了这个女医生。

可以说，王稼祥和朱仲丽的红线已经被毛泽东给牵上了，但是剩下的事情就要靠自己的努力了。功夫不负有心人。时隔不久，王稼祥终于打听到朱仲丽的底牌，原来朱仲丽是萧劲光的小姨子，于是王稼祥开始和萧劲光热乎起来。有一天，王稼祥给当时的八路军留守兵团司令员萧劲光写了一个非常有趣的便条，便条是这样写的:

萧劲光同志:

请你在后方留守兵团的部队里，找三匹小蒙古马给我。

谢谢。

此外，你可不可以带你的姨妹到我这儿玩玩。

王稼祥

一九三八年九月×日

萧劲光一见这张字条，心中立刻什么都明白了。中央军委副主席、第十八集团军总政治部主任给八路军留守兵团司令员写字条，这是常事，但是字条上都是写的公事，而这一次的字条却扯上了小姨子，这就非同小可了。萧劲光当即找到朱仲丽，说："姨妹子，总政治部的王主任，你知道吗？他请你到他那儿去玩，你可以去吗？"朱仲丽也不是糊涂人，她很爽快地答应了。

朱仲丽在她大姐朱仲芷的陪同下来到王家坪总政治部，看望王稼祥。很不凑巧，她们刚坐下，就不断有人找王稼祥谈问题、请示工作。朱仲丽见状只好告辞，王稼祥非常抱歉地请她下次再来。从那以后，卫生部的傅连璋也开始帮着王稼祥用劲，经常派朱仲丽到王稼祥那里，让她经常去看看他，看看他的肠胃有什么毛病啊，给他吃吃药，其实就是为他们创造接触的机会。

这样，他们接触的机会慢慢多了起来。有时，他们推心置腹地交谈，互吐衷情；有时他们下几盘围棋。朱仲丽从小就会下围棋，王稼祥总是输给朱仲丽，一个大男人老是输给一个姑娘，挺不好意思的，以后他们就不下围棋了，改成到山下的简易球场打上一会儿网球。随着接触的增多，他们彼此有了比较深的了解。朱仲丽向王稼祥讲自己的家庭、身世、经历和个人抱负，她既有革命理想又有不凡气质，使王稼祥甚为爱慕。

在遇到朱仲丽之前，王稼祥曾因父母之命和媒妁之言，有过婚姻的经历。19岁那年，学校放寒假，在父母的再三催促下，一个没有文化，彼此之间从未谋面的姑娘走进了王稼祥的生活，这个姑娘叫查瑞香。那个漫长的寒假还没有过完，王稼祥就设法逃离了家庭的束缚。1925年9月，王稼祥在上海大学附中学习期间加入了社会主义青年团，10月底，王稼祥离开上海赴苏联中山大学留学。在和家中书信联系的过程中，王稼祥才知道，包办婚姻的妻子产后患产褥热，生下孩子不久就去世了，留下了一个儿子。

1928年10月，王稼祥和苏联劳动大学的一位女工相爱，不久他们就同居了。同居不长时间，王稼祥发现这个苏联女人具有比较强烈的民族主义情绪，而且彼此的性格也存在很多不和谐的地方。1929年9月，这场仅仅维持了一年的短暂婚姻结束，从此两个人再没有任何往来。

或许正是因为这两次不幸婚姻的伤害吧，王稼祥的内心一直存在阴影，直到32岁仍然孤身一人。他在等待着命运中向他缓缓而来的朱仲丽吗？

其实朱仲丽很早就知道王稼祥这个人了，只是她一直没有见到过他。早些时候，王稼祥在上海做地下工作，曾经主编过《实话报》、《红星报》，当时朱仲丽也在上海，曾经看过他写的文章，但是他们在那里无缘相识。到了延安以后她才对上号，原来那个报纸的主编王稼祥就是眼前的他啊！

半年之后的某一天，王稼祥忽然问朱仲丽："我们什么时候结婚？"

王稼祥提问的方式很巧妙，他没有问你愿不愿意嫁给我，连一点铺垫、过渡的通俗话都没有，上来就问什么时候结婚。问题问得很突然。

朱仲丽的回答也不加考虑，她脱口而出："为什么要这么早，这么快呀？"

这话一出口就进入了王稼祥的圈套，她的潜台词是：我同意和你结婚，但是没想到会这么快！

毕竟是经过战争洗礼的革命者，善于捕捉战机，王稼祥不失时机地抓住朱仲丽的回答，说："那你同意就行了，就这么定了！"

1939年的正月十五，月亮团圆的时候，24岁的朱仲丽和33岁的王稼祥喜结良缘。当时结婚是要组织上批准的，陈云是组织部长，李富春是副部长，他们一见到朱仲丽就以开玩笑的方式问朱仲丽：你什么时候跟王主任结婚啊？朱仲丽也以开玩笑的方式回答他们说：等他戒了烟我才跟他结婚。结果结婚以后，陈云总跟朱仲

丽开玩笑：还没有戒烟就结婚了，等不及了你？

新房就是延安的窑洞。近邻是毛泽东和江青。

两人婚后的日子过得美满幸福。王稼祥结束了多年的独身生活，体尝到了家庭的快乐。在朱仲丽的精心照料下，王稼祥面庞丰润了，身体壮实了，更加生气勃勃地投入紧张的工作之中。

朱仲丽曾经幸福地说："我跟他从来没有吵过架，毛主席常说我们是'模范夫妻'。稼祥同志对党的事业特别忠诚，我很敬佩他，所以就一心把他的身体照顾好。后来毛主席还说稼祥同志的身体好了，都是我照顾得好。"

朱仲丽还说："稼祥同志很忙，没有心思做家务事，他口袋里一毛钱都没有。虽然我们的爱好不一样，但是都互相尊重，他喜欢看电影，我陪他看电影，我喜欢跳舞，他就说：'去吧去吧，早点回来。'也不妒忌什么的。"他们之间的感情，如同风平浪静的湖水那样深沉、含蓄。

1940年，朱仲丽怀孕了。由于工作劳累，营养不良，加之胃下垂的毛病，怀孕后她遭受恶性妊娠反应的折磨。因呕吐不能进食也不能饮水，没有小便，没有泪水，喉干唇裂。医生只好每日在她大腿的皮下注入50毫升的生理盐水，维持生命。又在她手臂上注射吗啡，但无济于事。作为医生，朱仲丽知道，呕吐久了，不进饮食，后果不堪设想。她感到病情正向危险转化，不得不做出人工流产的决定。

"我怕是不能挺下去了，否则大人小孩都将保不住命，得马上施行人工流产。"朱仲丽有气无力地告诉王稼祥。

王稼祥吃了一惊，"医生怎么说？该做人工流产就应马上做。"

流产不久，朱仲丽因出智齿，牙龈肿胀发炎，高烧四十度。医生初诊是流行性感冒。延至几天，高烧不退。朱仲丽自觉症状非常坏，心跳不规律，伴有呼吸困难，口腔炎症加剧，波及舌尖和咽喉。朱仲丽用医生的敏感判断出这是败血症！果然，经专家会诊结论是：由于口腔智齿发炎，引起败血症，并发急性心肌炎。其根源是人工流产后没有很好调养，缺少抵抗力。在一场与死神的搏斗中，朱仲丽战胜了疾病。她卧病三个月之后，才逐渐能起床慢步行走。

一年后，朱仲丽又患上急性盲肠炎，住院的第二天医生决定施行阑尾手术。鉴于延安生活困难，生孩子就影响工作。当晚，朱仲丽想在阑尾手术的同时结扎输卵管，她把想法告诉了王稼祥，征求他的看法。没想到王稼祥马上同意，表现得相当豁达开通。

朱仲丽问："我们今后不生小孩，你不后悔吗？"

王稼祥竟坦然地答道："没有孩子就不要孩子。"

此后，在漫长的岁月中，两人相依为命，克服了许多苦难。王稼祥没有因生活中缺少孩子而感到寂寞和苦恼，反而推动着朱仲丽全神贯注在自己热爱的医务工作上不断进步。

到了晚年，朱仲丽也没有后悔过，她说："我不孤单，在北京我的亲戚有二三十，周围有好多年轻朋友，等于有一群儿女呢！"

1974年1月25日清晨，王稼祥病逝，终年68岁。

王稼祥百年诞辰前夕，朱仲丽又满怀激情地写下了回忆文章——《恋人稼祥》，真挚地表达了对王稼祥的深切思念……

（杜　梅）

贺龙与薛明的婚恋故事

贺龙为林彪抱不平，竟引出对薛明的恋情

贺龙来到延安不久，由于感情不合，与蹇先任离婚了，延安的一些热心人便忙着为贺龙当起红娘来。一天，西北局和联防军司令部几个首长议事，谈到林彪和叶群恋爱的事。贺龙听说叶群把林彪写给她的信散出去给人看，很恼火地说：“这些小知识分子不像话，轻浮！损害别人的声誉和威信来抬高自己，应该好好教育她一顿！”

西北局组织部长陈正人是个热心肠，听贺龙在那儿打抱不平，便趁势介绍说：“老总啊，我给你介绍一个人，是天津的女学

贺龙

贺龙与薛明（1947）

生，叫薛明，是咱们西北局重点培养的妇女干部。老总是不是跟她见一见？”

“小知识分子我们搞不来。”贺龙连连摇头：“现成一个叶群就摆在那儿，我不吃林彪那个亏。”

“不一样，这两个人完全不同。薛明和叶群是天津就认识的朋友，性情却完全不同，薛明对叶群批评不少，老总你见一见就清楚了。”

贺龙沉吟着没再说什么。他觉得抛开陈正人当红娘不说，动员薛明去批评批评叶群，帮林彪一把也未尝不可……

1942年春的一个礼拜天，贺龙来到了薛明的住处。

“薛明是我党的优秀干部。”高岗一边大口吸烟，一边大幅度地作了手势：“薛明，老总问什么情况，你就如实汇报，我也转转你们县委。”说着，高岗立起身，朝贺龙挤一下眼就出去了。

“听说你和叶群是朋友？”贺龙不紧不慢地问。“是朋友，”薛明点点头，马上又补充，“但现在来往不多了。”

“要是真正的朋友，你就应该拿出朋友的样子来。”贺龙忽然提高了声音，脸上有了不平之色。“怎么了？”薛明眨眨眼，疑惑地问。

“林彪喜欢叶群，给叶群写了一些信，这本是正常的么。但是，叶群的态度可是不好哟！她把林彪的信拿去叫同学同事们看，还这么一散，说‘我不在乎，你们看吧，这是林彪给我写的情书！’你说这样做对不对？”

“不对。”薛明用力摇摇头。

“那你是不是可以去告诉她，喜欢林彪，就和林彪结婚，不喜欢就不要张扬，明确表个态拒绝。”

“我同意贺老总的意见。”薛明认真说，“这件事我可以办。”

贺龙走了，却给薛明留下了难题：怎么找叶群谈呢？老总讲的情况，薛明相信叶群干得出来，她那个性情和为人，不那样做反而才奇怪了。在一个礼拜天，薛明跟王书记请了假，徒步朝延安城走去。在城北的马列主义学院，她找到叶群。不料话不投机，没说上两句，叶群就任性地拒绝了薛明的批评，并很快把话题转开："我告诉你，延安来了个贺胡子，离了婚，这个人在找老婆！"薛明一怔，嘴唇嗡动着说不出话了。叶群笑得更惬意："怎么样？他在延安很红，毛主席还为他开了欢迎会。"

薛明明白她说的是贺龙。"贺胡子不太好，他要找老婆。"叶群煞有介事地叮嘱一声，"你要小心了。"这话题转得太突然，谈话谈不下去了。

面对薛明，豪放的贺龙一肚子感情却吐不出一个字来

"薛明！"西北局组织部长陈正人招呼，"你来吧，汇报一下情况。"当她讲到组织妇女搞了基干自卫军和普通自卫军时，挂在窑洞口的布帘掀起，闪入个身影，原来是贺老总！

薛明一阵莫名的脸红心慌，说话也不顺了："这些都是妇女，苦是苦，很有意思，还搞鸡毛信，天天总有人找……工作特别好。"

从这天起，或白天或晚上，陈正人总要叫薛明去汇报一段。每次贺龙都要进来坐坐、听听。次数多了，薛明看出名堂，发现陈正人越来越多地朝贺龙递眼色，耸眉努嘴地示意什么。贺龙却始终不讲话，陈正人急得咳嗽，贺龙干脆抬起屁股就走了。薛明忽然想起叶群的提醒……

一住十几天，什么鸡毛蒜皮的小事都汇报完了。

"陈部长，我实在没什么可汇报的了。"薛明终于"摊牌"了，"你把我扣这么久，到底想叫我谈什么？"陈正人张一张嘴，忽然苦笑着叹出声："哎！薛明哪，我们拖不起了。你不也有工作吗？我比你更忙，拖不起了哟！""是呀，"薛明一本正经地说，"您这位老首长这次是怎么了？把我拖在这里不放？"

"你是真糊涂还是装糊涂？"陈正人哭笑不得，"你那点鸡毛蒜

皮的事我听几句就够了，你、你……老贺他是一肚子感情说不出来么！”薛明震动一下，事情挑明了。

当真正面临终身大事，薛明不能不严肃认真地作一番考虑。良久，她平静地表一个态：“我回去还有很多工作要做，这件事现在不考虑。”

“不要封那么死嘛！”陈正人作出拦阻的手势，用命令的口气，“你先不要走，再住住，再谈谈。我说了，不许走。”

薛明就这样被“扣”在了西北局。几天后的一个上午，西北局来了位身材高大的领导干部，进门就叫：“薛明！”

被软禁一般的薛明抬起眼帘，立刻站起身：“哟！首长来了。”来者是彭真，彭真那时就属中央首长一级的干部，他不等坐下便痛快干脆地说：“你有什么问题呀？跟我说说。”

“我的问题很多呀。延安县的组织工作现在……”

“嗨，我俩说的不是一回事。打开天窗说亮话，我们这些人没有时间跟你拖。”“嗨，老贺喜欢你，看中了你。”彭真用手势断然截住薛明兜圈子的话，“我们今天就说老贺这个人，别的不谈。”

薛明羞了，垂下头。她想起从到延安开始就听许多老同志讲过贺龙的许多传奇式故事，听战士们唱《贺龙投弹手》那支歌。以后见到了英武、纯朴、豪迈的贺龙本人，要说毫不动心是假的。可是，崇敬与爱情毕竟不是一回事。论到婚恋，她确实存在许多顾虑，比如现在结婚会不会影响工作、两个人的年龄差距、还得跟朋友们商量商量……

她的这些疑虑被彭真一一打消了。薛明终于明白，她再无理由好找了。“可是，贺司令员……他自己为啥不跟我说？”

“人家表达不出来么！你们这些学生，小资产阶级情调不少，想的又多，老总是个直爽人，一句话说不对了岂不坏事？”彭真明白大局已定，便作了个手势：“他不敢来，你就去么。恋爱是两个人的事，双方都要动才行！”

贺龙的五个共同点，虽有点牵强附会，但着实打动了薛明的心

薛明被扣在西北局一个多月，再过两天就该过八一建军节了。这期间，陈正人病了一场，薛明照顾了他几天。一天陈正人来到薛明住处，拉着她到贺龙那去坐。

此时，贺龙正在看《新中华报》，听到招呼才不自然地放下报纸："啊，你们坐，你们坐。"

陈正人大概也没当过红娘，都坐好后，反而不知说什么好，马上站起身往外走："你们坐啊，你们先谈谈，我那边还有几件事要办。"连个"过渡阶段"也没有，贺龙和薛明对坐在那里，两个人都很尴尬。

"报上有什么新闻？"薛明受不了那种静默，终于先开了口，"又打什么仗了？"

"噢，形势还是紧张的。嗯，毛主席早讲了，抗日三阶段……"贺龙有点答非所问，接着又是一段难熬的静默。薛明几乎坐不住了，想起身告辞。

"哎！"贺龙见薛明要走，终于叫出声，"陈部长他们跟你说什么了？"

"没说什么，有时也开开玩笑。"

"哎，不是开玩笑哟，我知道你家庭艰苦，你参加革命很早，学生时代就积极投入革命活动……"

"哎呀，人家的档案你都看过了。"薛明低着头叫。

"没看，没看。"贺龙渐渐变成了"活龙"，话也流畅了，"西北局的同志们提到你多次了，我去延安县，从我们见面那天，我就觉得我们还是合适的，不知你怎么想的。"薛明这才明白，贺龙去川口延安县委，原来是有心看她去了，她小声说："我想过这个问题。"

"你怎么想的？"

"我现在工作忙，不考虑。"

"什么时候考虑？"问话接得很紧。

“工作做出成绩以后。”“再过几年吧。”

“一年还是半载?”

“再过三五年吧。”

“好,有事业心,我支持。我等你三五年!”

薛明又感动,又着急:“哎,别等。三五年情况就变了,我说不定跟谁结婚了……”

“嗯,实在话。不过,三五年不管怎么变,我起码不考虑这种事了。太累!”

随后贺龙又说:“其实呢,我们两个不是没有基础,我们可以说是同行,有很多共同点。”

薛明重新坐好,小声问:“有啥共同点?”

“至少有5个共同点。”

“5个?”

“对。”贺龙笑着掰指头,“第一我们都是共产党员,都讲党性。”她无言以对。

“第二,我们都是带兵打仗的。”

“我哪里是啊?”

“你不打日本鬼子和胡宗南?”

“我打。”

“对,我也打。都是带兵打仗,民兵也是兵。”

“你们是机关枪,我们是红缨枪。”

“反正都是枪。”贺龙继续掰指头,“还有第三个共同点,你姓王,你父亲叫王锦发,我母亲也姓王,咱们两家都有姓王的。”

“这算什么共同点呀?”

“你敢说两个王字没共同点?”贺龙得意地笑了,“这第四条,你母亲是做衣服的,我父亲也是裁缝,我们俩也都懂缝纫,没有错吧?”

“你怎么知道的啊?”薛明心里有点热,他要是对她没心没意,怎么可能知道这么细?

“还有第五条，你母亲姓薛，你现在也姓薛，说明你尊重母亲。我家是‘母系社会’，家里最受尊重的是母亲和大姐，这不是共同点吗？”

“可我们还有许多不同点……”

“不同点可以在生活中协调么。我家老红军多，你家抗日军人多；我家种地，你家做工。咱们工农结合，工农一家人，你看，多好！”

1942年8月1日，也就是贺龙与薛明谈过5个共同点后的第二天，薛明莫名其妙地“逃”离了西北局，她先是走到了女友刘革非的窑洞，结果刘革非匆忙开会去了，后来她又跑去找李井泉的夫人肖里。

肖里陪薛明一块去散步，两人顺山坡一路下来，见到一排窑洞。薛明问：“这是哪里？”肖里说：“联防军司令部。”

糟了！薛明心里暗叫，竟走到贺龙“老家”里来了！正想转身，迎面赶来王震、张宗汉，拦住了去路。

刘革非一脸诡笑地也等在那里。薛明一把拉住她的手：“他们要干什么呀？”

“唉，算了吧，你还不清楚？”刘革非抓着薛明的手轻轻拍几下。

陈正人一脸喜色地过来：“今天正好开会，首长们都在，一切从简，吃饭时放瓶酒就算意思了。”

“这算干什么，还没谈完呢……”薛明又羞又急。

“谈完了。什么三年五年，不可能的嘛。”

贺龙笑着对薛明：“咱们商量商量？”

薛明轻轻叹一声：“唉，已经这样了，还商量什么？”

“好，你们就算结合了。”陈正人高兴地喊道，“大家一起祝贺啊！”

吃饭时，任弼时、李富春和林伯渠等老同志们纷纷端起酒杯，举向贺龙与薛明。薛明心疼贺龙，替他喝下了一杯杯敬酒。

“薛明真行啊，刚确定关系就保护起老总来了。老贺，记住啊，关键时刻有薛明帮你挡着呢！”任弼时笑着讲了这么两句话。

（冯建霞）

徐向前与黄杰的延安之恋

徐向前

1946年青年节的这一天，担任陕甘宁晋绥联防副司令员兼参谋长的徐向前和黄杰喜气洋洋地结为夫妻。关于两人结婚时的情景，徐向前的警卫员曾经有过这样的回忆：

那天是个假日，我陪首长走到苏部长家，有位女同志已先在那里，正和苏部长的爱人说话。后来，他们4人打扑克。苏部长的警卫员小王忽然问我知不知道首长今天来这里有什么事，我说不就是休息，来玩玩呗！他“哎呀”一声说：“你们首长今天是来结婚的呀，那位女同志就是保育院的黄院长！”我赶紧给家里的同志打电话，让他们快做准备。内心里直埋怨首长，这么大的事也不说一声。当我跟随首长步行回到家里时，见到大伙正在打扫屋子，首长笑着说了一声：“嗨！小鬼！”两男两女打扑克，打完一轮，一个男的悄无声息地领回一个女的，这就算成家了——世界上恐怕没有比这更朴素、更简单的婚礼了。

这一年，徐向前46岁，黄杰36岁。对徐向前和黄杰来说，都已不是初婚。

在川陕革命根据地时，在一次战斗中，徐向前跳崖时摔伤了腿。参谋长曹学楷和三队队长倪志高知道徐向前丧偶多年，眼前身

徐向前与黄杰在延安（1946）

体又不好，需要人照顾，就主动替他和程训宣牵线搭桥，撮合成了一桩好姻缘。但是，由于张国焘在根据地内大搞“肃反”，程训宣不幸也被抓进大牢。程训宣被抓走后，徐向前无权过问，也不便过问。因为张国焘对他一直是“用而不信”，他自己的命运也朝不保夕。大敌当前，他只好和广大指战员一样，以大局为重，强抑心中悲痛，听候组织审查，全身心投入到反对敌人“围剿”的斗争中。直到长征到达延安以后，徐向前才得知妻子程训宣已被杀害。

程训宣的死，对徐向前打击很大。一个活泼可爱的妻子惨遭杀害，作为一个四方面军的高级指挥员，他却连替她说话的权利都没有。此后十余年，他一直不愿再娶，既是因为他怀念程训宣，心中的隐痛难以消除，也是因为他提着脑袋干革命，不愿再拖累他人。直到抗战胜利之初遇到黄杰时，徐向前的心中才产生了“我想有个家”的强烈归属感。

黄杰是湖北江陵人，少女时代为逃婚而离家出走，是徐向前20年代在武汉军校的学生，跟烈士赵一曼是同学。她1928年入党，十几年出生入死，是一位拥有传奇经历的女英雄。

对于黄杰来说，徐向前她并不陌生，她在大革命时期就认识了徐向前，但徐向前不认识黄杰。这时的黄杰看到当年英姿勃勃的教官如今一副大病初愈的样子，一股怜惜之情涌上心头，也十分愿意照顾徐向前的生活起居，就这样，两个人走到了一起。

（王　宁）

罗荣桓与林月琴的婚恋

众人架鹊桥

1937年1月，红军总部和中共中央机关从保安迁到了延安。到延安后，环境相对稳定下来，一些已过“而立”之年的红军干部的婚恋问题，就成了大家所关心的事。

春节前夕，原红三军团保卫局侦察部长许建国与中央党校女学员刘桂兰建立恋爱关系已几个月了，二人决定在春节办理喜事。这天，战友们都来道贺。年轻人在这样的场合聚在一起，自然有说有笑，热闹得很。忽然有人谈起了红军后方政治部主任罗荣桓。罗荣桓在延安曾被人称作“牛郎”，因为他的年龄偏大，但婚事却是八字没有半撇。

罗荣桓与林月琴在延安

“罗主任已经35岁了，还是个单身汉，咱们应该帮他一把才是。”大家都说。在座的人大多数是罗荣桓的老部下，一向敬重他的正直和忠厚，都希望他能早日有个好伴侣。

许建国问刘桂兰：“你们党校有适合罗主任的女同志吗？”

刘桂兰想了想，答道：“有哇，我看林月琴就很不错，与罗主任很般配。”

“林月琴，就是红四方面军那个工兵营长？”

“女工兵营长！不是长得人高马大吗？”

“瞧你说的，人家长得可秀气呢，个头不高不矮。”众人马上七嘴八舌地议论起来。

林月琴是安徽金寨县南溪街人，15岁时参加了乡苏维埃政府的妇女协会，后来听说红军第七十三师要办一个兵工厂，她便带着十几个姐妹到兵工厂报到，每人领到一个红袖套，就算正式参军了。1932年，林月琴出席了鄂豫皖省苏维埃第一次代表大会。红四方面军长征之前，她担任了红四方面军总部工兵营长。长征途中，工兵营的主要任务是负责运输，每人背负着几十斤重的物资行军打仗，比男同志还艰辛。1936年7月，红军二、四方面军在甘孜会师，林月琴开始调到粮食总局工作，不久又调到中央卫生所学习医务。只有23岁年龄，却有8年革命资历的林月琴，为人娴雅大方，性格热情开朗，在中央党校的女党员中是较为优秀的，曾有不少男同志追求她，而她一心一意地扑在文化和理论的学习上，根本不理会这些事，因而被人称作“织女”。曾在红一军团政治部工作过的现任军委保卫部长的钱益民，听众人说到这里，高兴地点头：“罗主任能遇上这么一个‘织女’，那就再巧不过了！就把这任务交给建国两口子，别让他俩自己结了婚就忘了罗主任。”

在众人的笑声中，许建国点头对刘桂兰说：“我们做个分工，罗主任那儿由我提出，林月琴那边，工作由你来做。”

白马渡“银河”

几天后，许建国夫妻来到罗荣桓的住处，聊谈一番后提出了当“月老”的事，接着介绍了林月琴的情况，问他什么时候与林月琴见个面。罗荣桓听了感到有些不好意思，未作正面回答。在一旁的冯文彬开玩笑地自告奋勇：“罗主任，怕什么，我陪你去！”

“又不是给你提亲，你去干什么？”刘桂兰笑着对冯文彬说。

“他不是脸皮薄吗？我去给他壮壮胆。”冯文彬的话把大家逗笑了。这时，罗荣桓才红着脸问刘桂兰：“叫我去见面，你们跟人家说好了吗？”

“罗主任放心吧，我们不能做冒失的事，已经同月琴说过几次了。”刘桂兰如实作答，又补充说：“哪天把她叫来玩，让你们彼此熟悉一下。”

一个星期天，林月琴被邀到许建国家，她一进门见满窑洞都是客人，多数不认识，不由愣了一下。刘桂兰迎上前拉住她的手，向大家作了介绍。

大家坐在一起说说笑笑。林月琴因为和大家不熟悉，不好意思插话，默默地笑着。冯文彬是个活跃分子，主动凑上来同她说话，问这问那。林月琴以为他是组织部门的，也没在意，大方地作答。

1937年夏，罗荣桓（左三）与红军后方政治部的部分同志合影

窑洞里热闹得很，可有一位戴眼镜的人却坐在一旁一句话也不说，只是大家笑他便跟着笑。林月琴注意到了这个人，不明白这个脸上写满军人成熟气质的男子汉为何如此矜持，但她心里莫名其妙地对此人有着几分好感。一心把精力放在学习上的林月琴，竟然“木讷”到连刘桂兰向自己介绍过的罗荣桓都没有留意。

临近中午，人们渐渐离开了，林月琴忍不住问刘桂兰：“刘姐，那位戴眼镜的人是谁呀？”

“你呀，难怪有人把你比作‘织女’，就不知道他是罗荣桓主任吗？”刘桂兰指着对方笑嘻嘻地说。

林月琴听后脸上一下子红了，不禁“哦”了一声，同时心里若有所悟。

“怎么，害羞了吧？不过你俩合得来呢，大家说笑，就你和罗主任不声张，八成是想到一起去了。”刘桂兰半是正经半是玩笑。她忽然打住，对林月琴说：“我们来做中饭。”

春天到了，延河的冰开始融化，风吹在人们脸上暖呼呼的。由于刘桂兰找了机会正式向林月琴介绍了罗荣桓，两人经过几回接触，慢慢地熟悉了，双方都没有那么拘谨。说来也怪，原先罗荣桓并不打算考虑个人婚姻问题，拗不过同志们的一片热情，只好同林月琴见面。但自从与她相见几次之后，他发现自己竟喜欢上了这个姑娘。

林月琴住在中央党校，罗荣桓住在后方政治部，两地之间隔着一条延河。春天的延河水位上涨，无法涉水过河。两人虽然仅一河之隔，但想见面必须绕道很远过桥再走回来，或者骑马过河。爱开玩笑的人把延河说成是“银河”，这种比喻用在罗、林的身上倒也贴切。

红军二十五军的六团政委王平，不知怎么知道了罗荣桓被“银河”阻隔的情况，特意挑了一匹白马，派人送到后方政治部，说专门给罗主任的。罗荣桓有了马后过河就方便多了，每天吃过晚饭，他就要骑马出去，还不让警卫员跟着，说去练马。警卫员心里直纳闷：罗主任不是早就会骑马了吗？

这原因只有林月琴才清楚。每当黄昏时分，她就会站在党校南侧一里外的延河边，等待着白马驮着“牛郎”过河。看到罗荣桓从马背上下来，她就迎上前去。

落日的余晖映照在延河两岸，罗荣桓与林月琴或坐在河畔的青草上，或徜徉在沙滩上轻声地说话。这对都很文静的青年男女，以无拘无束的交谈，在双方心里架设着互相了解的桥梁，感情已从同志间的情谊渐渐向爱情升华了。

“牛郎”“织女”聚洞房

阳光明媚的5月中旬，延河两岸一片葱绿，高粱长出了嫩绿的叶子，山丹丹也绽开了花蕊。罗荣桓的婚礼报经中央同意，定于5月16日举办。

办喜事是人生大事，在林月琴看来，条件再不好，也得认真准备一下。她把罗荣桓的旧狗皮褥子翻晒好，又将毯子用碱水洗了。窑洞内搭设了一张双人木床，加上从老乡家借来的一套老式桌椅，新房就算布置好了。远在西安的井冈山时期的老战友，得到消息后托人捎来一袋子面粉，这时正好派上了用场，罗荣桓请炊事班的几个战士将那袋面粉全部擀成面条，作为招待客人的主食。罗荣桓和林月琴打算把为他们搭过“鹊桥”的同志都请来热闹热闹。

下午四点多钟，一个不速之客闯进来了。他是曾在红八军团政治部任组织部长的甘渭汉，罗荣桓的老战友，比罗小了10岁。在以前见了面甘就喜欢与罗睡在一个屋。这一回又按照老习惯，叫警卫员把自己的铺盖搬到窑洞里去，可是被罗挡住了。罗荣桓指着隔壁窑洞说：“放那边去，打扫一下。”

“罗主任，怎么搞的，不让我同你睡在一起呀？”他见罗荣桓笑笑没有作答，又说：“咱俩好久不见了，有些工作问题要向你请教，

睡在一起好谈嘛！”

正好在这时候，谭政、许建国、冯文彬等人都过来了，大家听了甘渭汉说的话，都乐得大笑起来。谭政指着甘说：“你这个小甘真是乱弹琴，人家罗主任今天结婚，你想睡在里面算怎么一回事啊？”

“哦，是这样？我说难怪那么多人在忙着。”甘渭汉红着脸用手朝罗荣桓肩上拍去：“罗大哥，你怎么不早说呀？我以为搞了这么隆重的场面，是接待我呢！”大家听了他的话，笑得更欢了。

下午五点多钟，后方政治部的同志从干事到警卫员、马夫都来了，加上十几个客人，大家在一起吃着罗荣桓、林月琴的喜面。尽管面条里油很少，只放了点白菜、萝卜，大家仍然吃得津津有味，还闹着要新郎新娘共吃一口面，气氛非常热烈。谭政、许建国等人都祝贺新郎新娘并肩携手，迎接伟大的抗日战争来临，为民族解放革命的胜利贡献自己的青春。

（冯建霞）

开国大将王树声与杨炬的"老少夫妻情"

在中国革命漫长的征程中，许多热血青年为了一个共同理想，在战火纷飞的岁月里结成了终身伴侣。开国大将王树声与杨炬当年的"将军恋"就是其中的一个典型。

将军求爱吃"败仗"　"医圣"亲自当月老

王树声和杨炬是抗日战争时期在延安相识的。

1942年9月，正在抗日前线浴血奋战的太行军区副司令员王树声，奉命回到延安参加整风运动，被分配到中共中央党校学习，任军事队队长。

1943年秋，王树声在中央党校举行的一次周末文艺晚会上，遇见了中央门诊部的医生杨炬，对她一见钟情。当年22岁的杨炬，身材苗条，脸庞俊俏，浑身洋溢着青春的气息，在中央门诊部里有着"一枝花"之誉。

年近不惑的王树声，第一次陷入了"单相思"。

老战友唐明春看出了王树声的心思，他想：王树声为了革命事业在枪林弹雨中东拼西杀多年，一直没有机会顾及自己的婚姻，现在延安的生活安定，别人都已是成双成对了，他也确实该找一位伴侣了。因此，他便对王树声说："老王，你别急，我老婆和杨医生熟得很，回头我让她帮你牵牵线，你俩见见面。这事你放心，包在我

身上。”唐明春的爱人连军在中央门诊部当护士，并与杨炬很要好。

王树声一听这话，喜出望外，拉着唐明春的手一个劲儿地说：“老唐，那就多谢你啦！”

然而，一连几天过去了，牵线的事却如泥牛入海杳无音信。王树声坐卧不安，直骂唐明春“阳奉阴违”，太不够交情。

唐明春见王树声急成这个样子，便开导他说：“老王呀，这种事就好比登山上树，得一步一步地来，急不得。你先耐心等着，待我和连军再仔细琢磨琢磨。”

王树声眼一瞪，说：“你们还琢磨啥呀！我今年都38岁了，你让我等到猴年马月啊！我都侦察好了，杨医生今晚上夜班，你去跟她说：‘王树声很喜欢你，你要是有意，就跟他结婚。’”

“哎呀，人家姑娘可是个知识分子，哪能这样直来直去？”唐明春一听，哭笑不得。

王树声说：“这怕什么？咱们都是革命军人，在战场上猛打猛冲惯了，不搞资产阶级花前月下卿卿我我的那一套。”

“那，就试试吧。”唐明春只好答应了。他突然又问：“人家要是不答应怎么办？”

这下可把王树声给问住了。是啊，自己已是急得火烧火燎了，可人家是怎么想的呢？要是她不同意，岂不是剃头挑子一头热?！王树声沉思了片刻，对唐明春说：“你先就这么说，她要是答应了，那是再好不过了；要是不答应，我再想其他办法。强攻不行，就采取迂回战术。”从无数次枪林弹雨中闯过来的王树声坚信，他没有攻不下来的堡垒。

然而唐明春却没有王树声那样的胆量，他没直接去找杨炬挑明话题，而是仍让连军向杨炬旁敲侧击，慢慢做她的工作。

三天又过去了，唐明春那边还是没有回音。王树声实在等不下去了，决定主动出击，向杨炬发起“进攻”。这天傍晚，他特意刮了胡子，换了一身干净的军衣，昂首挺胸地走进中央门诊部的一间诊室，坐到了杨医生的办公桌前。

杨炬身穿干净的白大褂，乌黑的头发衬托着白净秀气的脸庞，显得更加妩媚动人。她自然不知道王树声的来意，照常落落大方地接待这位“病人”：“你哪儿不舒服？”

王树声说：“我脚后跟裂了个大口子。”说着，他脱掉了鞋子，又脱掉了袜子，让杨炬看。

开始时，一个问，一个答，王树声强压剧烈的心跳装着平静，可说着说着，话音就变了调，一句憋在心里的话终于禁不住脱口而出：“杨医生，我……我对你……印象很好！”

年轻的女医生愣住了，见王树声的脸涨得通红，一双热辣辣的眼睛正期待地望着自己，顿时明白了，她的脸也“刷”地变得通红，把笔一撂，扭头跑进了隔壁的换药室。直到一脸沮丧、不知所措的王树声慢慢走出了门诊部，她才回到自己的办公桌前。“啊呀，我还没给人家看病呢。真是的！”她想。

王树声留给杨炬的第一印象不佳：像个大老粗，满脸的麻点点，嘴唇太厚，说话粗里粗气，与自己想象的白马王子相差太远了！

王树声出师不利，第一次“出击”就被杨炬“打”得“败”下阵来。

没过几天，唐明春的爱人连军又向杨炬提起了王树声，说了一大通王树声的优点。紧接着，杨炬的好友、门诊部医生王一楠又对她罗列了王树声一箩筐的赫赫战功。事情传到了中央卫生处处长兼中央医院院长傅连璋的耳朵里，这位“红军医圣”决定亲自出马给王树声当“月老”。

一天，傅连璋把杨炬叫到自己的办公室，面带笑容地对她说：“小杨呀，你的事我都听说了。关于王树声同志的婚姻问题，不少人都很关心，就连周副主席也没少操心呢，他几次对我说，卫生部门的女同志多，希望我能给当当‘红娘’。树声同志是个老红军，那可是个好同志啊！他对党一片赤子之心，为革命立过不少的汗马功劳。对他你可能比我还了解得多些，我就不说废话了。当然，这件

事我也不能包办，一切由你自己决定！”

“可是……我……和他合不来，况且……院长，你知道他是怎样向我求爱的吗？”杨炬吞吞吐吐。

傅连璋看了杨炬一眼，笑了笑说：“我听说了。树声同志是个武将，喜欢直来直去。将军嘛，就有将军的风度。这种直截了当的方式，一般的女孩子的确是不能接受的。可你想一想，他那种坦率、自信和执着的性格不也是很可爱的吗？小杨，你说呢？”

杨炬沉思不语。

傅连璋看出了眉目，站起身继续说道：“当然啦，你和他需要一个了解的过程，这种事谁也不能给你下命令。在这个问题上，我只给你提个小小的建议，你不妨和他接触一下，看看树声同志这个人到底怎么样，只有了解了才好下结论，不要轻易地肯定，也不要轻易地否定。小杨，你看行吗？”

听了傅连璋这番推心置腹的话，杨炬还能说什么呢？她点头答应了。

两位老总当“月老”　延安窑洞结良缘

傅连璋同杨炬谈话后的第三天，杨炬就收到了王树声寄来的一封信。浑厚苍劲的墨迹，情真意切的文笔，深深地打动了这位年轻姑娘的心。杨炬颇感惊讶：原来他不是个“大老粗”，而是个“小秀才”呢！

从这以后，宝塔山下，延水河畔，他们情语切切，身影相随。在同杨炬的约会中，王树声了解了她的家世及参加革命的经过。

杨炬出身于湖北省南漳县的一个书香门第，父亲是位中学教师。小时候，父母给她订下了一门“娃娃亲”，对方是地主家的少爷。长大后得知那是一个火坑，性格倔强的杨炬死活也不答应。抗日战争爆发后，就读于襄阳省立第五中学的杨炬，为了跳出包办婚姻的火坑，不等初中毕业，就毅然离家出走，和一群热血青年一起参加了抗日团体,并于1938年辗转来到延安投身了革命。参加革命后,杨炬被组织送进卫生学校(后改为医科大学)学习。学满三年后,杨炬便进了延安中央门诊部成了一名医生。

王树声和杨炬一谈就是一年多,俩人的心越贴越紧了。1944年的中秋佳节那天,杨炬结束巡回医疗,回到了延安。王树声喜出望外,拉着心爱的姑娘,提议说:“今天是中秋节,咱们一起去拜访贺老总、徐老总吧!”

杨炬说:“我可怕见那些大首长了。”

“两位老总和气着呢,你见面后就晓得了。”

两人来到西北联防军司令部,司令员贺龙、副司令员徐向前见了他俩高兴极了,忙叫警卫员泡茶、拿月饼、端瓜子招待他们。

在闲谈中,得知杨炬是湖北南漳县人,贺龙摸着胡子,笑呵呵地说:“小杨,长征前我在湘鄂西根据地的那阵子去过南漳,湖南、湖北,分南北而饮一湖水,我们还是半个老乡呢。所以,我算得上是你的娘家人哟。哈哈哈!”

徐向前接过话头:“我在鄂豫皖呆了好多年,麻城又是我的管辖范围,树声一直跟着我,既然贺老总是你的娘家人,那我也算得上是你的婆家人哟!”大家一阵欢笑。杨炬被说得不好意思,低下头,满脸通红。

不知不觉到了黄昏。杨炬站起身说:“贺老总,徐老总,时候不早了,我该回去了!”说完,看了看王树声。

贺龙瞄瞄徐向前,笑呵呵地拦住杨炬:“小杨,中秋赏月,就在我们这儿过节嘛!”徐向前心领神会,朝贺龙点点头说:“对哟!对哟!我看呀,今天我们干脆就在这里把他们的喜事给办喽。亲家,你说呢?”

杨炬目瞪口呆:“这……怎么行呢?”她低头看着自己上身已洗得褪了色的旧列宁装,灰不溜秋、皱巴巴的,还掉了两粒扣子,脚上穿着一双旧毛边布鞋,连袜子都没有,虽说在延安结婚讲不了什么排场，但终身大事，多少得有点准备呀，这太突然了！

“革命夫妻嘛，没那么多穷讲究。”贺龙看出了杨炬的心思，捋着胡子，微笑着说。

“不！不！”杨炬连连摇头。忽然，她急中生智：“我还没向组织上打报告呢！”

“还报告什么！我是树声的老上级，现在就批准了！”徐向前拍了拍胸脯。

“对！我这个联防军司令员也赞成。这还不行吗？我是你的娘家人，总可以当一半的家吧？”贺龙在一旁帮腔。

徐向前又接过话茬：“我是婆家人，那一半的家我当了！”

贺龙把手一挥：“就这么定了！”

贺老总和徐老总一唱一和，弄得杨炬无可奈何，她红着脸，望着王树声。看来大势所趋，无法逆转，不答应是不行了，站在一旁的王树声咧着嘴憨厚地笑着。

与王树声同在中央党校军事队学习的陈赓，见此情景，一蹦三跳地跑到室外高处，双手窝成喇叭筒，大声地嚷起来：“陈氏广播电台，现在播送晚间新闻！报告大家一个好消息：王树声和杨炬今晚要结婚喽！大家快来贺喜呀！”王树声见状，撵上前去擂了他一拳头。

婚礼就在西北联防军司令部里举行。徐向前把自己的卧室让出来，作为这对新人的洞房。两位老总亲自指挥身边的工作人员筹办酒菜、布置新房。王树声的许多老战友纷纷前来表示祝贺。写对联的任务交给了与王树声一块儿从鄂豫皖打出来的“土秀才”徐深吉。徐深吉挠头抓腮，苦思冥想。

大伙围着王树声、杨炬，要他们坦白恋爱经过。杨炬被逼无奈，羞答答地瞥了一眼王树声，轻声地说道：“他呀，真厉害！”

王树声立即回敬了一句：“她呀，真调皮！”

听了这对答，在一旁正思索对联的徐深吉，立即来了灵感，他把脑门一拍，对邵式平说："伙计，有了！快，我来念，你来写。上联是：调皮遇厉害；这下联嘛，花好逢月圆。怎么样？"

"好！"大伙儿噼里啪啦地鼓起掌来。

"横联呢？"邵式平挥毫泼墨，写完对联后问道。

"那还不简单？"陈赓插了一句："革命伴侣！"

众人又是一阵叫好。

中秋佳节，花好月圆。在延安的这所窑洞里，贺龙和徐向前就这样为王树声和杨炬举行了一场既简朴又庄重的婚礼。

战火纷飞常离别 生死考验挚爱情

王树声和杨炬新婚不久，毛泽东亲自点将，要王树声率领一支部队南下中原，会合先期在那里活动的皮定钧、徐子荣部，组建河南军区，创建豫西抗日革命根据地。于是，王树声告别新婚妻子，跨上战马，直奔中原。

当王树声率领八路军健儿在豫西大地战洛阳、攻登封，创建豫西抗日根据地时，杨炬也于1945年5月离开环境和条件都比较优越的延安中央门诊部，同另外四人一道，跋山涉水，千里迢迢来到了豫西。可这时，王树声已奉命率军南下，与李先念领导的新四军第五师和王震率领的南下支队会合，组成了中原军区，王树声任军区副司令员兼第一纵队司令员。杨炬又从豫西往东南走，一路走，一路打听，穿确山，过息县，在历时四个多月后，终于在河南省光山、经扶（今新县）两县交界处的泼陂河镇找到了王树声。

杨炬不顾长时间的奔波劳累，立即投入了紧张的工作。干部、战士们都很尊敬她。王树声常常在老战友面前炫耀："找了杨炬，是我的一大福气！"

杨炬和王树声好不容易过了近半年的安定生活，国民党军队又全面挑起内战，于1946年6月26日开始大举进攻我中原解放区。王树声率领第一纵队的第二、第三旅共九千余人组成的南路军从泼陂河经鄂中向西实施突围。怀着五个月身孕的杨炬，冒着枪林弹雨拼死拼活地随部队一起突围。在强行通过平汉铁路封锁线时，警卫员张振武跑来向王树声报告：“司令员，嫂子不见了！”

正在指挥作战的王树声环顾四周，发现妻子果然不见了，脸色一下子变得苍白。此时，全纵队近万名干部战士仍处在敌重兵包围之中，在这紧要关头，王树声来不及多想，继续指挥部队冒着敌军机枪的疯狂扫射和敌机的狂轰滥炸奋力突围。

经过夜以继日的苦战，一纵终于突破了敌人的铁路封锁线。几天之后，部队到达王家店。在这里，王树声意外地遇见了让他牵肠挂肚的妻子。夫妻重逢，杨炬紧紧地抱着王树声失声痛哭，秉性刚强的王树声也禁不住泪流满面。

为了使突围部队轻装上阵，迅速甩掉敌军的追击，纵队党委决定派两位同志将杨炬护送到山东解放区去。杨炬尽管不愿离开王树声，但为了不拖累部队，她只好忍痛别夫。

1947年春，在鄂西北与敌军苦苦鏖战的王树声病倒了，党中央和中原局指示，让他离队休养。在地下党的护送下，王树声经武汉、上海，于同年6月顺利到达山东解放区，在冶陶与杨炬团聚了。这时，他的儿子生下来已有8个月了。没过几个月，中央又决定让王树声随刘邓大军南下大别山，再次挺进中原。

出发的前夕，王树声兴冲冲地跑回家，要向妻子、儿子辞行。转眼结婚已3年了，还从未送过什么礼物给杨炬，这次又要出远门了，他要送一件纪念品给自己心爱的人。他一进门，就大声地喊道：“杨炬，你猜我给你带来了什么？”

“什么好东西？”望着满脸兴奋的王树声，杨炬好奇地问道。

“好，你闭上眼睛。”杨炬被王树声的童心给逗乐了，她顺从地闭上了美丽的双眼。一张小纸片贴在了杨炬的手掌上。杨炬睁开眼一看，原来是王树声的一张半身照片。那黑亮亮的眼睛，正深情地望着面前的人；那厚厚实实的嘴唇，仿佛有吐不尽的知心话……

王树声双眼注视着杨炬，轻轻地说："后面还有话呢。"杨炬翻过相片，只见背面上写着：

久别重逢今又别，不知人月几时圆？

伤思艰险犹尝尽，誓将奋斗会中原！

赠给我亲爱的杨炬同志留念

树声 八·十五于冶陶

杨炬双眼一热，禁不住扑到王树声的怀里。

王树声又从背着的挎包里掏出一个小拨浪鼓，放在炕头上，这是送给儿子的。因为儿子出生在山东，王树声便给他取名鲁光。他抱起小鲁光，亲了他一下，笑着说："儿子，快点儿长吧，长大了随爸爸一块儿打国民党反动派去！"

王树声又一次告别妻子，带着杨炬的一片深情和无限思念，踏上了南下大别山的征程。

在那战火纷飞的年代里，王树声和杨炬就是这样匆匆相聚又急急离别，直到新中国成立后，才真正过上了团圆的生活。他俩在漫长的革命征途和人生之旅中，同甘共苦，肝胆相照，爱情之花长开，谱就了一曲脍炙人口的将军红色恋歌。

（冯建霞）

徐海东和周东屏的红色恋情

1935年秋，长征到达陕北的红二十五军可以说是好事不断，一是红二十五军经过长途跋涉来到陕北后和刘志丹率领的陕北红二十六、二十七军会师并合编为红十五军团，进一步壮大了红军的声威。其次是他们的军团长徐海东和一路相伴他的周东屏喜结良缘。这对戎马岁月、九死一生的徐海东来说，的确是一件值得庆贺的事情。

周东屏原名叫周少兰，1932年加入红二十五军，在军部医院当护士。1934年11月，红二十五军长征出发前，军部决定发给她们每人八块大洋，然后遣散她们。周东屏与军医院的另外六名女战士在路旁抱头痛哭。这时徐海东军长来了，问她们为什么哭鼻子。一位娇小而清秀的女战士上前一步，抹了抹泪，要求徐军长能留下她们。这位勇敢的女战士，就是周少兰。徐海东被打动了，决定让她们继续跟着部队走。七位女战士，克服重重困难，一路行军作战，一路抢救医护伤病员，留下“七仙女长征”的佳话。

部队进入陕南后，徐海东在战斗中负伤。这是他第九次负重伤，一颗子弹从他的左眼下方打进，从后颈飞出。无设备无药品的医生除了用盐水洗伤口，用绷带包扎之外，没有其他办法。血汩汩地流着，无情的伤势蚕食着战友们的希望。可周少兰却没有失去希望，当她被派来护理徐海东的时候，她就相信，他一定会醒过来。她守在昏迷的徐海东身边，将炭火烧旺，用心地为他换绷带，擦拭伤口，用嘴吸出卡在他嗓子里的痰……

一天、两天……就在人们的希望即将消失殆尽的时候，徐海东睁开了眼睛。在逐渐清晰的视野里，是周少兰的面容。他觉得在哪里见过她，但一时又想不起来，只是轻声问："现在几点钟了？部队该出发了吧？"

周少兰的眼泪不知道为什么一下子流了下来，她说："首长可醒过来了！五天五夜不省人事，把人都急死了！"

徐海东的头肿得像米斗，嘴巴已经变了形。他却努力地扬了扬嘴角，笑着说："我可没着急，倒是睡了个好觉。"

徐海东身体虚弱，加上时逢冬季，队伍又经常转移，他的伤口愈合很慢，这使他的心情很不好，经常莫名其妙地发脾气，吓得医生与警卫员只好远远地躲开。周少兰却不慌不忙地坐在他身边劝慰他。徐海东的虎脾气经周少兰慢条斯理的话一化解，也就平息了下来。暗地里，大家都说："咱们这个虎将可碰上能治他的人了。"渐渐地，连徐海东自己也感到有些离不开周少兰了。

红二十五军二次进驻秦岭的一天早晨，政委吴焕先拍着徐海东的肩膀说："老徐呀，有人背后骂你哩。"

"骂我什么？""骂你长了四条腿！"徐海东一愣："他妈的！是谁骂我。我怎么是四条腿的牲口？""昨晚你从小河边回驻地时，披了件大衣进门，门卫岗哨发现你大衣下边是四条腿嘛！"

原来，昨晚月上柳梢头，徐海东与周少兰回驻地时，怕哨卡看见军长领个少女会说长道短，进大门时就随手张开披着的呢子大衣，将周少兰一下子裹进腋下，进了大门。偏巧这个晚上站岗的是个新兵，见军长走了进来，急忙先将两脚并拢，又有点胆怯地垂下脑袋，这下倒好，反而发现大衣底下是四条腿儿。"我们徐军长是真老虎，因为老虎四条腿。真格的，我昨晚站岗时在月光下看得清清楚楚，谁哄你谁不是人。"新兵以为徐军长是真老虎，这事儿私下里就传开了。

徐海东不以为然地笑了:“大惊小怪!四条腿就四条腿,我还要娶周少兰做老婆哩!”

1935年9月,在陕北高原上的永坪镇一孔简陋的土窑洞里,35岁的徐海东和18岁的周少兰举行了婚礼,从此度过了生死与共、患难相扶的悲喜人生。

（花海洋）

马海德与苏菲的延安之恋

马海德，原名乔治·海德姆，祖籍黎巴嫩，1933年到中国，先后在上海广慈医院和来斯特医院工作，后参加了路易·艾黎等人在上海组织的马克思主义读书会。1936年经宋庆龄介绍，与美国著名记者埃德加·斯诺一起，到中国共产党和中国工农红军最高指挥部的临时驻地——陕北保安（今志丹县）进行访问。在当时中共中央所在地保安县城的窑洞里，毛泽东连续几天向斯诺讲述自身的经历，马海德也在旁边倾听并参加了谈话。同时，他又与周恩来终日相处，感到这些革命领导人身上有着非凡魅力。当斯诺为了对外报道苏区情况而恋恋不舍地离开时，马海德却决心留下来并得到了毛泽东的批准。他作为第一个进入苏区的外国医生，1937年1月随中央进驻延安并加入了中国共产党。为让群众熟悉自己，他根据本名“海德姆”在阿拉伯文中是骏马之意，起了个中国姓氏“马”，此后以“马大夫”闻名于延安乃至各解放区。中国工农红军改编为八路军后，马海德担任八路军总卫生部的顾问，随军到山西五台山八路军

马海德、苏菲夫妇在延安

马海德、苏菲、阿洛夫在延安

总部工作，年底返回延安，开始筹建八路军军医院。从毛泽东到普通百姓，都喜欢找这位大鼻子的外国医生看病。

1939年冬天，一个八路军女战士来找马海德看眼病，这位女战士就是鲁迅艺术学院的学员苏菲。苏菲那双会说话的眼睛和粲然的微笑，使得马海德一下子愣住了。他在陕北延安的四年时间里，还是第一次发现了东方女性的魅力。

苏菲，1919年出生于舟山定海县一个以造船为业的豪绅之家。1937年7月7日抗日战争爆发后，苏菲随艺术供应社部分同志撤离上海，经香港、越南转至云南昆明，通过地下党组织介绍，参加昆明抗敌后援会，从事抗日救亡活动。1939年8月辗转来到延安后，进入鲁迅艺术学院学习文学和戏剧。1942年毕业后分配到延安“鲁艺”实验话剧团当演员，参加了《带枪的人》等话剧的演出。

对苏菲产生了好感，马海德自然不肯放过这个好机会。他细心为苏菲诊断之后，还特意配制了粉红、淡绿两瓶药水。第二天，他又用淡绿、粉红两页信笺以歪歪扭扭的中文写了一封额外的信：“我衷心希望你能按时很好地服药，早日恢复健康，恢复你那美丽的微笑！”

这次看病治病，在双方心里都播下了温馨而微妙的种子。到了除夕晚上，苏菲和林兰提着马扎跟着人流去大礼堂观看演出。礼堂里已经挤满了人……舞台中间正是大名鼎鼎的马海德医生，他穿着五颜六色的戏装，正在跳加官，这是传统戏剧里过大年才演的吉祥剧目。马大夫脚下蹬着高底鞋，脸上画着大花脸，两只大眼睛闪闪发光……全场像开了锅似的，人们大声地喝彩叫好。当时毛泽东和其他中央领导同志都在观看，他们也笑得前仰后合。

马海德跳完了加官，观众还不让他下台，他只好又憋着嗓子唱了一段流行歌曲《桃花江是美人窝》，大家被逗得更大声地笑起来。这次演出，马海德的精彩表演给苏菲留下了深刻印象。

后来，马海德去找政治部主任王稼祥，开口就说他要结婚了。然后他认认真真地向党组织打了一个报告，只过了两天就得到了批准。接着马海德硬是要拉着苏菲的手，一定要去边区政府办理结婚登记。

当时的延安，要结婚只要得到了组织的批准就行了，没有别的手续，但是马海德仍认为不够，坚持要去政府登记。而其时也正在根据地老百姓中间宣传新的婚姻法，要废除买卖婚姻，鼓励结婚办理结婚登记。

边区政府民政厅的婚姻登记处在一个山坡的窑洞里，这个登记处只有一张方桌和两条长凳，一个小鬼大约也只有十六七岁，正在那里工作。他一看来了一个高鼻子新郎倌要登记，不敢同意，也不敢拒绝，呆了半天，只说让他们在长板凳上坐一会儿，他自己却跑了，又过了好久才回来给他们办了手续。结婚证是用最普通的纸印刷的，上面写着：马海德三十岁，周苏菲二十一岁，于1940年3月3日登记结婚。下面还有证婚人、主婚人姓名，结婚证上还盖了边区政府的大印。当那小鬼把证书交给他们时，马海德小心翼翼地接过来……结婚证是两联的，应撕开男女各保存一张，可是马海德不愿意撕开，他说他们一辈子也不要分开……

苏菲和马海德结婚遭到苏菲的一些同学的反对，原因是她找了一个外国丈夫，有几个人还拒绝参加他们的婚礼。毛泽东倒是十分地赞成，说马海德是中国的女婿，并和周恩来一道参加了两人的婚礼。

（刘　洋）

1935 1948

[redacted]

第三部分

将帅故事

刘伯承雨中换军帽

刘伯承

1937年7月7日，震惊中外的“卢沟桥事变”爆发。事变发生后的第二天，中共中央在延安向全国发出通电，号召国民在“平津危急，华北危急，中华民族危急”的情况下，全国人民、政府、军人应立即团结起来，抵抗日本帝国主义者的侵略。面对日本侵略者的公然挑衅，全国人民表现出极大的愤慨，他们热烈响应中国共产党的抗日宣言，纷纷要求把侵略者赶出国门，抗日救亡运动出现了空前高涨的局面。

在中国共产党的不懈努力以及全国民众的推动下，国民党蒋介石最终同意了国产党的抗日主张，于9月23日在庐山发表谈话，承认了中国共产党的合法地位。

国共两党的统一战线形成以后，由中国共产党率领的工农红军被国民政府改编为国民革命军第八路军（后改为第十八集团军），简称八路军。八路军下辖三个师，即一一五师、一二〇师、一二九师，全军共约四万五千人，装备由国民政府统一提供。这就意味着红军将士们将要脱下缀着红五星的八角帽，换上有两颗纽扣和国民党党徽的军帽。

红军举行改编抗日誓师大会

同日本侵略者直接作战，把强盗赶出去，这是广大的红军指战员期盼已久的事情，但要让他们脱下红军服，穿上国民党的军装，不要说是普通的红军战士了，就是一些高级指挥员们也不愿意。他们从中央苏区，从鄂豫皖，一直打到川陕边，又经过长征到达陕北，哪一个不是经历了九死一生？哪一个和国民党蒋介石没有深仇大恨？当将要换上国民党军装的消息传开以后，许多红军指战员们在心里就产生了怨恨、沮丧的情绪，并表示坚决不穿国民党的军装。

为了让将士们认清形势发展的需要，各机关都开展了动员大会，在一二九师的一次动员会上，一位干部站起来激动地说："我和国民党打了十年的仗，身上留了许多国民党的弹片，就连亲人也被国民党杀光了。现在去打日本，我打心眼儿里高兴，可是要我换上国民党青天白日的帽子，我就是回家种地也不愿意。"这位干部的话立即引起一片附和声，大家纷纷说："对，我们不穿国民党的军装。""穿上国民党的军装我们还叫红军吗？"……

面对大家发出的各种各样的牢骚，一二九师师长刘伯承开导大家说："同志们，你们不要激动。说实话，我现在的心情和大家一样，也不愿意换上国民党的服装。但是大家想过没有，日本人在侵占了我们的东三省以后，又开始吞并华北了，他们亡我中华之心不死啊。大敌当前，我们必须团结起来，把日寇赶出去。要不然，我们就不能生存，就会有亡国灭种的危险。我们要懂得这样一个道理，民族解放就是阶级解放。都闹着要回家，谁去打日本？我们都是革命多年的老同志、好同志，应该有着起码的觉悟，要识大体、顾大局，不能凭着个人心情的喜好而置国家、民族大义于不顾……"

刘伯承的一席话，虽然让会场上的喊声小了许多，但大家在心里面仍然不愿意换上国民党的军装。会后，刘伯承发动一些干部进行学习、讨论或是自我教育来明辨是非。逐渐地，一些干部明白了道理，思想上也开始转变了。

统一战线形成以后，红军各部队在改编之后陆续走上抗日战场，刘伯承率领的一二九师也定于誓师大会后开赴前线。到了召开誓师大会的这一天，天上的雨下得越来越大，有人提议等天晴了再开会，可刘伯承没有同意，他说："军人就要风雨无阻，决定了的事情就不能随便更改。今天是我们改编和出征的誓师大会，更不能更改，必须按时举行。"

誓师大会开始了，看到战士们依然穿着红军服装时，刘伯承站在台上大声说："同志们，今天是我们改编和出征的誓师大会，也是

红军东渡黄河誓师抗日的骑兵部队

我们八路军一二九师诞生的日子。直到现在，大家仍然不愿意换上国民党的军装……”刘伯承说到这里，从头上缓缓地摘下八角帽，凝视片刻后继续说：“这个红军帽我也舍不得换，这身红军服我也有着太多的感情啊！但是，大敌当前，我们就要抛弃个人感情，为了民族的解放，我们要把阶级仇恨埋在心里跟国民党合作。换军帽，那不过是个形式。我们是人民的军队，这个本质是不会变的，红军的优良传统是不会变的……”他拿出一顶八路军的军帽来，指着上面的青天白日帽徽说，“这个帽子上的帽徽是白的，但我们的心却永远是红的。同志们，为了救中国，为了早日把日寇赶出国门，大家就暂时脱下八角帽，换上这顶帽子吧。”

刘伯承说完，把八角帽看了又看后揣进怀里，这个时候，他的眼里闪烁着泪花，只是在下雨天，别人没有看见而已。

在刘伯承的带领下，全师的指战员们纷纷摘下八角帽，换上了八路军军帽。此后，一二九师的指战员们在刘伯承的率领下驰骋抗日战场，正如刘伯承说的那样，军装换了，可心依然是红的，老百姓见了都说：当年的红军又回来了。

（花海洋）

借“眼睛”

在一次抗击日寇的战斗中，八路军某团石志本副团长的左眼负伤，失去了眼球。由于整天用块纱布捂着眼睛，他感到很不雅观，不久，听说刘伯承师长家里有假眼珠子，就很想借一个用用。

刘伯承同志得知这个情况以后，立即叫人通知石副团长来挑“眼珠子”，并且嘱咐让他一定尽快来取。

几天后，石副团长高高兴兴地登上门来。刘伯承同志一边热情地接待他，一边喊他的爱人汪荣华同志把那个盒子端出来，让他挑一挑“眼珠子”。

不一会儿，汪荣华就把刘伯承同志备用的玻璃眼球端了出来。刘伯承同志一个一个地拨拉着，亲自给石副团长挑选，让他试着戴一戴，还关切地说：“一定要合适才行，不然的话，眼眶子会磨得很疼的。”又手把手教给他安放假眼和进行消毒的方法。

可是，石副团长试了好几个都不合适。刘伯承同志耐心地说：“莫着急，再挑一挑。我的是右眼，你的是左眼，可能规格大小不一样……”后来，石副团长又反复试了几遍，还是不合适，感到有些失望。刘伯承同志安慰他说：“你放心，我再想办法替你找一找。来，让我量一量你左边眼窝的大小。”说罢，他非常仔细地用手比划着，摆弄了好一阵子。

石副团长虽然没有借到“眼珠子”，但他心里一直暖烘烘的。打那以后，他也就不再把“眼珠子”的事放在心上了。

几个月过去了。有一天，石副团长刚刚训练回来。忽然，他的上级汪乃贵举着一个精致的小盒子，高兴地喊道："石志本，石志本，你的'眼珠子'来啦！"

石志本好像做梦一般，激动地把小盒子接过来捧到自己胸前，然后，小心翼翼地打开——哎呀，里面真是3颗晶莹闪亮的玻璃球！全都像是水灵灵的真眼球一样——透明通亮，闪闪发光。这个从不落泪的汉子，竟像个孩子似地流下了热泪。他紧紧抓住汪乃贵的手，无限感激地说："谢谢首长！"

"谢谢我干什么？"汪乃贵连忙解释说："是刘师长特意送给你的。他专门托人到上海找师傅定做，又托人带到这太行山。"

（马　琼）

聂荣臻与日本孤儿的父女情

关于这张聂荣臻与日本小女孩美穗子照片的故事，还得从1940年说起。

在抗日战争时期百团大战的一次战斗中，井陉煤矿火车站日方副站长加滕清利夫妇在炮火中先后身亡，遗下两个小女孩，即时年五六岁的美穗子和在襁褓中的美穗子妹妹，她们是被八路军战士冒着危险抢救出来的。按照聂荣臻的指示，八路军战士将美穗子两姐妹送到了指挥部。当时的聂荣臻司令员又是叫人找奶妈，又是亲自洗水果给美穗子吃。当聂司令员看到美穗子的妹妹脚跟被炮弹炸伤，又急忙让军区的医生为其治伤。在指挥部的那些天里，美穗子一直跟在聂司令员的身边，小手拽着聂荣臻的裤腿，司令员走到

聂荣臻

聂荣臻与日本小女孩

哪里她就跟到哪里。这张照片就是那时照的。当时，前线战斗非常激烈，为了孩子的安全以及考虑到孩子成长需要亲人的照顾，聂荣臻决定把两个女孩送回日本。

1940年8月21日，聂荣臻给日本官兵写了一封信，并找来一位可靠的老乡，慎重拜托老乡把两个日本孤女送往石家庄的日本兵营。为了防止孩子在路上饥饿，聂荣臻特地准备了各种食品，并将那封“致日本军官长士兵诸君的信”交给老乡，让老乡挑着姐妹俩去石家庄。信中写道：“……带来日本弱女二人。其母不幸死于炮火中，其父于矿井着火时受重伤，经我救治无效，亦不幸殒命。余此伶仃孤苦之幼女，一女仅五六龄，一女尚在襁褓中，彷徨无依，情殊可悯。经我收容抚育后，兹特着人送还，请转交其亲属抚养，幸勿使彼辈无辜孤女沦落异域，葬身沟壑……”

事隔四十年后的1980年5月，《解放军报》发表了姚远方写的《日本小姑娘，你在哪里？》。文章刊出后在日本引起轰动，日本《读卖新闻》社奇迹般地找到了当年的日本小姑娘——美穗子，她住在日本国九州的宫崎县都城市。美穗子的妹妹在送石家庄后死在医院里。美穗子后来回到了日本，现已是3个孩子的妈妈。

1980年7月10日，美穗子一家来到了北京，聂帅派女儿聂力到机场迎接。一对异国姐妹从此情同手足。7月14日，聂帅在人民大会堂新疆厅接见了美穗子全家。美穗子与聂帅握手的一刹那，激动得哭出声来，泪流满面，以额触聂帅的手，表达了自己的感恩之情。此次，聂帅送给美穗子题有“中日友好万古长青”的国画《岁寒三友图》。聂帅说：“到了严寒的冬天，百花凋谢，只有松树、竹子、梅花经得起考验。”当美穗子感谢当年的救命之恩时，聂帅说：“不能这么说，这不是我个人的问题。我们这样做，是因为中国人民解放军有讲人道主义的光荣传统……我们要向前看，全在今后的努力。中日两国是一衣带水的近邻，没有理由不友好，中日两国人民要世世代代友好下去。”美穗子回日本后，为了好好珍藏聂帅赠送的国画，她把自己的房子拆了，改建加高。

1986年5月5日上午，聂帅在家中会见了由深川岩副市长率领、美穗子夫妇参加的日本都城市友好访华团时，对深川岩、美穗子说，我希望我的家乡四川省江津能同美穗子的家乡都城市结为友好城市，为增进中日友谊作点贡献。

1989年5月5日下午，美穗子随日本都城市日中友好协会访华团一行来到聂帅家中，受到聂帅的亲切会见。聂帅高兴地和美穗子一行合影留念。中国母亲张瑞华和姐姐聂力“希望她常回家看看”。

时隔三年后的1992年5月14日，美穗子从新华社播发的消息中得知聂帅与世长辞的噩耗，当时正值丈夫患脑溢血处于病危之中，她不能前来北京凭吊，隔海相望，悲痛欲绝。聂帅可敬可亲的形象和历历往事不断浮现在眼前，她把不尽的哀思注入一行电文之中：“那场可怕的战争，使我在中国大陆沦为孤儿，承蒙您的相助，才使我有今天……”美穗子买了鲜花和祭品，在家里设立了灵堂，按照日本传统习俗举行悼念仪式，表达日本女儿对异国父亲的特殊情感，祝愿中日友好之树常青。

1999年12月29日，是聂荣臻元帅诞辰100周年纪念日。11月13日夜，中国姐姐聂力迎来走下飞机舷梯的日本妹妹美穗子，一对异国姐妹再次相聚在首都机场。11月18日，美穗子参加了江津市与日本都城市缔结为友好城市的签字仪式，随后美穗子参加了纪念聂荣臻元帅诞辰100周年的一系列活动。美穗子的一颗“中国心”，感悟着慈父聂帅博大而神圣的爱，感受着中国人民的深情厚谊，并竭力传承着这种爱，让不同时代、不同国度的人，被这种爱打动。

美穗子说：“我对聂帅的感情是无法用语言表达的。”正是这种超越血缘、超越种族、超越国度的情感，才有美穗子的四次中国之行，才能培育出中日人民世世代代友好下去的常青之树……

（王　斐）

王震回陕北，赶走何绍南

1939年八九月间，由于河防紧张，党中央决定调王震的三五九旅返回陕北，加强河防守备力量。当时边区内外的顽固派正在到处寻衅闹事，制造磨擦事件。为了不给顽固派造谣生事以任何口实，在下令调动三五九旅的同时，毛泽东指示十八集团军留守处主任萧劲光把这件事向国民党第二战区司令长官阎锡山和驻柳林地区的邓宝珊报告一下。

毛泽东审阅了萧劲光起草的电文，认为电文表达的意思不够充分，措辞也不够策略，随即将电文全部改写了一篇。改写后的电文是这样的："日寇猖狂，河防屡急，迭奉钧座电令，加强防御。近以敌占柳林，盘踞不去，窥其用意，似有西犯模样。迭以此情呈报朱彭总副司令。嗣奉电示：指派一二〇师王旅布置绥吴警备区，巩固河防，并资休整。现该旅已到东岸，即日渡河布防。兵力既增，河防当可巩固。惟仍当恪遵钧谕，激励士气，不使稍有疏忽……"在电文后面，毛泽东还写道："萧：此电待王旅确到河边并先头部队开始渡河时才发，不要发早，也不要发迟了。"

正是由于电文无懈可击，时机又掌握得恰到火候，果然得到阎锡山、邓宝珊认可。阎锡山在给萧劲光的回电中说："希饬该旅速至巩固河防为要。"邓宝珊回电更是表示赞同："王旅开驻绥吴，增厚兵力，极佩荩筹。"

但是，边区内外的顽固分子抓住这件事，大做文章。一时间，谣言四起，什么“三五九旅不服从中央，自由行动”呀，“三五九旅是来警备区消灭保安队的，中央不知道”呀等等。有的甚至谩骂“三五九旅是叛军，是土匪”。为了驳斥顽固分子，毛泽东指示萧劲光立即写了一篇文章给以驳斥。这样，1939年12月9日，《新中华报》发表了萧劲光的《加强河防，反对造谣破坏的阴谋家》的文章。文章痛斥了顽固分子的无耻谰言，转述了上述阎锡山、邓宝珊回电的原文，说明调三五九旅是为了巩固河防，并且是按照国民党高级将领的电令做的。事理俱在，那些谣言便不攻自破了。

何绍南是国民党派任的绥德专员兼保安司令，是顽固的反共分子。在他任职的两年中，制造了大量磨擦事件。1939年5月，他授意安定县县长田杰生指挥保安队袭击我杨家园子，打死打伤我官兵数十人。9月，他面谕吴堡县县长黄若霖，组织暗杀队，杀害我七一八团三营副营长尹才生。10月，他指令清涧县县长艾善甫组织哥老会码头和黑军“政府”，串通土匪，到处抢劫等，无恶不作。

9月间，何绍南途经延安去西安。为了争取国民党多数人团结抗日，毛泽东还是决定接见他。毛泽东首先讲了挽救民族危亡，必

群众给王震旅长戴花

须维护和发展抗日民族统一战线的道理，说明中国共产党强调团结，强调统一，强调国共合作的方针，明确向他指出了国民党正在把反共作为直接准备投降的步骤。毛泽东要何绍南看清形势，不要再根据所谓《限制异党活动办法》搞磨擦，重申了不久前在接见中央社、《扫荡报》、《新民报》三记者谈话中“人不犯我，我不犯人；人若犯我，我必犯人”的精神，指出“我们根本反对抗日党派之间那种互相抵消力量的磨擦，但是任何方面的横逆一定要来，如果欺人太甚，如果实行压迫，那么，共产党就必须用严正的态度对待之”。当时何绍南只得嗫嚅应允，但回去后仍旧不断制造磨擦。一直到王震率三五九旅驻防绥德，并担任绥米葭吴清警备司令以后，针锋相对地同他进行坚决斗争，打掉了他的嚣张气焰，他才有所收敛。不久，何绍南逃出陕北，到西安去了。

为了把何绍南彻底赶走，陕甘宁边区政府主席林伯渠和八路军后方留守处主任萧劲光联名致电蒋介石、孔祥熙、程潜、蒋鼎文等人，要求惩办何绍南，并委任王震兼任绥德地区专员。电文中说：“现在组织暗杀之黄若霖，虽经撤职；纵兵为匪之艾善甫，虽被

八路军第三五九旅旅长王震主持召开生产会议

三五九旅回防边区前，王震召开干部动员大会

管押；贩卖烟土之高步元等，虽已法办……但发号施令之主谋罪魁何绍南至今逍遥法外，未闻议处。”毛泽东修改了电文，对于如何处置何绍南这样写道：“将该犯官何绍南加以逮捕，并解至陕北，组织巡回法庭，令民众代表参加审判，置之重典，以肃法纪，而快人心。”对于委任王震为专员一事，经毛泽东修改后的电文是这样写的：“查有绥米葭吴清警备区王震司令，前以转战华北，屡建奇勋，近则守备河防，复树劳绩，以之兼理专员一职，实属人地相宜。”

（齐　超）

王震和他的农民副官

1941年春，八路军三五九旅在王震将军率领下，开进了野草丛生、荆棘遍野的南泥湾，实行屯垦戍边。

一天，延属地委为便于对开荒生产实行统一领导、统一规划，决定成立南泥湾垦区政府。这天，身兼延属地委书记、延安军分区司令员的王震，风风火火地赶到了位于南泥湾的陕甘宁边区政府办公厅农场的场部，准备召开垦区成立大会，动员大家把南泥湾规范有序地开发和建设好。

院子里聚集了不少从山窝窝来的当地群众。他们席地而坐，三五成群地围拢着说说笑笑，甚是欢喜。

王震旅长向毛泽东汇报南征北返的经过(1946.9)

群众的欢闹惊动了王震将军，他走出窑洞，凑到了一簇人跟前。老乡们见到王震，笑盈盈地向他问候起来，一点也不感到拘束。王震瞧着一个秃顶、前额突出、没有门牙的老汉亲切地问："这位老汉有多大年纪了？"

"70出了头。"那老汉把一尺来长的烟锅从口中取出捉在左手，右手给王震捏了个七，又露出个食指，眯着眼，颇为神气和调皮。

王震十分认真地端详了一会，说："71岁，身体还这么结实，您贵姓？""部队同志常问我姓甚叫啥，我说就叫我朱老汉，我那个官名几十年没使唤了，南泥湾人都这么叫我的！"

这时，一边的小战士插了言："旅长，我们都叫他'甘地'，他活像印度国的大总理！"经小战士一点拨，王震瞧着朱老汉的模样大声笑了起来，连连说："像、像！"围拢过来的军人和婆姨女子也憋不住笑翻了天。王震在笑声中似乎想起了什么，他大声地问："你就是南泥湾的劳动英雄朱老汉吧！"

苏团长和龙政委给王震介绍："朱老汉官名叫朱玉环，他是南泥湾当地群众选出来的年龄最大的劳动英雄，他种了几十年的庄稼，做农活很有经验。二连开的荒地紧挨着朱老汉的地块，他经常给战士们现场指导呢！"

王震握住朱老汉结实的大手，两人席地而坐拉呱起来。原来，朱老汉一辈子没结过婚，老家在山东阳谷县，家境贫困，12岁随父母逃难到山西太平县给人家当长工，1931年冬又逃难到南泥湾。自从三五九旅驻扎南泥湾，野猪野豹少了，土匪不来了，气候也变暖了，去年朱老汉打了十六石细粮。

王震将军拍拍朱老汉肩膀上的尘土，关切地对他说："应该找个老伴，咋能一辈子打光棍？"朱老汉伤心地说："在山西太平扛长工时，许多好心人要借钱让我讨老婆，可我想不讨老婆是一个人受苦，讨了老婆是一对人受罪，钱难借更难还，还不了人家的钱脸上都没光。所以我宁愿不讨老婆也不要人家的钱。后来我带了一个外甥

1959年王震回延安时，在南泥湾和农民合影

顶门户，到了南泥湾三台庄。可他好吃懒做，和二流子差不多……”

“应该请部队的同志教育教育你外甥，咱地委不是号召开展改造二流子运动嘛？边区的人民都要参加大生产，落下一个人也不好嘛！”

“我当劳动英雄后可吃香了，去年阴历九月十二那一天，我帮过忙的中央党校农场的韦场长把我请去，宰了一头猪，杀了一只羊，给我祝贺七十大寿。我朱老汉一辈子了，还是头一次过生哩！”越说越高兴，眼睛眯成了一条线。

王震表扬朱老汉说：“听说你经常指导部队和农场种庄稼，对我们开展大生产帮助很大。”朱老汉打断王震的话说：“军队生产真厉害，每天早早就上山了。但种庄稼的套路不对头。俗话说，庄稼一枝花，全靠粪当家。二连挑粪到地里，粪堆上不盖土，我就批评他们的连长：‘不压上土，太阳晒，风雨吹，粪劲就没了，不顶事嘛！’连长就让我教战士们咋沤肥的办法。党校农场韦场长见咱这么热心，几次叫我参加八路军，给农场当生产教官。我倒是心里想

参加就怕年纪大了干不好……”

朱老汉说者无意，王震可听了在心。他非常认真地对朱老汉说：“在种庄稼上，你就是我们的长官，有权指导咱们的部队！”朱老汉回答王震：“那不敢，谁听我老汉的话？”王震躬身站了起来，他扫视了一下周围的人，指着七一八团团长陈宗尧说：“陈团长，你听不听朱老汉的话？”“听！”陈宗尧团长干脆利索地回答。王震又指了指张团长道：“张团长，你呢？”“听！”王震回转身对朱老汉恳切地说：“你看，这些团长、场长都听你的话。‘凡事要好，须问三老’，部队上哪块地庄稼种得不好，你都可以批评嘛！我委任你当农业生产副官，给你写个护照，你把它带在身上，不管三五九旅哪个单位，请你批评指导，你看怎样？”

“成！成！”这位爽直开朗的山东老汉慨然答应，他那酷似“甘地”的脸上乐开了花。

会前会后，王震与朱老汉还有一个私下约定，即一同乘车到延安城，去拜见毛主席。这又是一件朱老汉连做梦也不敢想的大喜事。那山啊水啊，在他朱老汉眼里，似乎都变得辉煌灿烂起来。他挥舞着旱烟锅儿，逢人便报告着自己要到延安见毛主席的喜讯，整个南泥湾的人都分享着他的幸福。

5月初的一个清晨，王震将军的车载着朱玉环老汉等人，翻过曲曲弯弯十八盘的蟠龙山，正中午就奔过了南河，望见了宝塔山。

第二天，王震便带着朱老汉赶赴西枣园。走入大门楼，跨过幸福渠，拾阶而上，直奔毛主席的院落。王震一进门就大声报告毛泽东：“主席，我把印度的大总理甘地给您带来了。您看！”

毛泽东乍一听十分惊愕。顺王震手势看去，的确有一位戴顶新八路军军帽，穿破旧棉袄棉裤的老汉立在门口，他的脸形、五官果真有些貌似甘地。听了王震进一步的解释，他才明白了原委，马上叫朱老汉回屋歇坐，又是递水又是递烟，问寒问暖起来。王震给朱老汉说：“毛主席在延安也有不少农民朋友，有些还是毛主席的种地顾问哩！”吃饭时，多加了菜，毛主席拿出一瓶子粉红粉红的酒，亲自斟酒给朱老汉。用朱老汉的话说：“这酒没劲，怪甜怪甜的。”南泥湾人都是用包谷酿造烧酒，喝惯烧酒的人，喝葡萄酒怎么都不过瘾。因此，王震旅长在以后朱老汉巡视部队时，特别指示各部队给朱老汉安排每顿饭加两三个菜，一壶烧酒。

在延安，他们还拜见了朱德总司令。朱总司令请朱老汉吃饭时，把朱老汉让到上座。统帅、将军与朱老汉一起大侃庄稼经。毛主席、朱总司令都认可朱老汉当王震旅长的副官，指示他勇敢地当好生产副官，建设好南泥湾。王震还领了一套质地很好的新军服给朱老汉换上，把朱老汉“武装”了一番。

朱老汉在延安美美地转悠了三天。为了指导好部队生产，他怎么也呆不住了，辞别王震旅长，顺道步行去三十里铺，动员他的另一位山东老乡、从小就练习武术、一同逃难到陕北的马老汉，一起赶回南泥湾，共同指导部队。他俩气喘吁吁地爬过蟠龙山，刚要下坡的时候，猛不拉嚓地被一位八路军军官给吆喝住了。朱老汉把手往眉眼上一搭，认出前面拦路的是三五九旅某部的李司务长，便热情地招呼道：“是李司务长啊，你到哪里去哩？”

李司务长并不回答朱老汉的话，一股劲走上前来，奇怪地质问朱老汉：“你咋穿八路军的军服，这料子比我们的还好。”说着还用手摸了摸朱老汉的衣襟。

“我咋就不能穿军服？”朱老汉反问道。

“你是老百姓，怎么能穿军衣？这衣服是在哪里搞的？”李司务长的口吻，越来越严肃了。朱老汉觉得不亮王牌不行了，他“唰”地从裤兜里掏出一个纸包，往李司务长面前一伸：“拿去看看！”李司务长有些迷惑，他瞧着朱老汉那“甘地”式的神采劲，慢慢拆开纸包，里边有两行核桃般大的毛笔书写大字：“南泥湾劳动英雄朱老汉，现年71岁，参加我军，兹委任他为本旅农业生产副官，指导本旅部队农业生产。他到各部巡视之时，望各部队官兵向他请教，

朱德、王震和农民亲切交谈

虚心接受他的指导和批评。”委任状落款是旅部王震、苏进、王恩茂三位首长共同签名。李司务长看完此令，急忙把委任书包好交还给朱老汉，连说两遍：“能穿，能穿！”

回到南泥湾的第二天，朱老汉、马老汉带着王震的委任状，匆匆向三五九旅官兵种的地块走去。

在南泥湾军民齐心协作下，1944年三五九旅开荒达到了33万亩，人均33亩，每人实收细粮六石一斗，真正做到了耕一余二。

也是这年冬季，兵强马壮的三五九旅大部分人马，组成南下支队，在王震将军率领下，告别美丽富饶的南泥湾，直奔湖南、湖北等地。

三五九旅大部分人马南下了，留给陕北的是大片大片开垦过的田土和满山川的牛羊。朱副官这位老汉和留守部队人员以及千千万万当地群众，继续守护和耕耘着南泥湾肥油油的土地。

（王　斐）

关向应的心愿

关向应与贺龙是搭档多年的老伙伴、好伙伴，两人在革命生涯中结下了深厚的情谊。从1932年起，无论是在湘鄂豫川黔边地区，还是在长征途中，或是在抗日战争中的晋西北，两人始终并肩作战，情同手足，不幸的是，关向应患了肺结核。在那个特殊的年代与环境里，肺结核可以说的上是一种绝症。中共中央虽然想尽了一切办法，但终归没有治好关向应的病。1946年7月21日，关向应不幸在延安逝世。

在关向应生病的最后时间里，贺龙和薛明夫妻俩经常去医院看望关向应，当关向应看到薛明时，就微笑着对薛明说："我和贺龙共事十多年了，对他佩服，我就希望他有个孩子。我整天躺在床上起不来，没事情，连这个孩子的名字都起好了……"薛明心里非常感动，但看到他重病的模样，说："关政委，你好好休息，这事以后再说。"关向应干咳一阵，深深喘口气，坚持说下去："贺龙的孩子应该是学字辈，叫学什么呢？我们俩都特别欣赏一个人。""谁？"薛明连忙问道。"我们都喜欢岳飞。岳飞字鹏举，叫学飞不好，叫学举也不好。名

陇东战役环县战斗中，王震在指挥作战（1947.6.15）

1944年贺龙、彭真、任弼时看望卧床疗养的关向应

字么，有名有字。把岳飞的名和字各取一字，我看就叫鹏飞吧，好不好？”薛明想，这名字确实不错，可是……她又说道：“关政委，您是有学问的人，当然起的名字好，只是这事还早。”“不早。”关向应擦去额上的虚汗，胸脯微微起伏，“你愿意就是这个名字吧，我不定哪天就会死呢，这也是我的一个未了的心愿……”

薛明同志分娩时，正好是个下雨天。在贺龙的家乡，迷信的老人们都说贺龙是条水龙，晴天不打仗，一下雨就打，一打准赢。岁数再大些的老人作证：贺龙是跟雨一块来到人世间的。如今，贺龙的后代要出世了，素以干旱闻名全国的陕北，居然整日大雨不停。在医院里，薛明顺利地产下一个男孩。薛明同志生了一个男孩的消息传开后，中央的一些领导同志纷纷打电话给贺龙道喜，还有不少人询问孩子的名字。一天，贺炳炎将军和一些同志来看望薛明母子，贺炳炎问薛明：“老总给儿子起名了吗？”薛明说：“关政委说叫鹏飞好。”贺炳炎将军说：“老总的儿子是下雨时生的，顺着叫，应该叫雨生吧！”随贺炳炎将军一道赶来祝贺的军人们便七嘴八舌地参谋起来：“贺龙的儿子要有龙字才好，就叫小龙吧！”乱过一阵，贺龙的儿子便叫了贺雨生，小名叫贺小龙。

贺龙的儿子叫贺雨生也罢，叫贺小龙也罢，关向应政委都不承认。他坚持自己想出的名字：贺鹏飞。听说贺龙得子的消息后，关向应当天便拒绝再吃奶粉。当时，延安生活条件十分艰苦，关向应因为重病在身，为保证他的营养，毛泽东、党中央特别决定供应他一定数量的奶粉。可是现在说什么他都不肯吃了，无论护士怎样劝，也不肯再喝一口。“我不行了，我要养后代，”关向应在病床上咳着、喘着，断断续续地说，“我没有儿子，鹏飞就是我的儿子，我养鹏飞……把奶粉给薛明送去，给鹏飞送去，给鹏飞吃……”关向应始终坚持把贺龙的儿子叫贺鹏飞。

关向应在延安病逝以后，贺龙为这位最亲密的战友英年早逝而悲痛欲绝。多少年来，贺关一体，名字总写在一个文件上，如今“贺存关去”，贺龙自然是悲愤不已，他对妻子薛明说：“咱儿子不要再叫雨生了，就叫鹏飞吧，这是向应同志取的名……”于是，这个寄托了无限情谊、无穷思念的“鹏飞”，便永远成了贺龙之子的名字。

（郝　璐）

江华接收延安城

革命圣地延安原名肤施，中共中央进驻后，于1937年2月改为延安市和延安县。

1935年10月19日，毛主席和党中央率领中央红军在经过艰苦卓绝的二万五千里长征后，到达陕北吴起镇。经过“切尾巴”战斗后，稍作休整，毛主席又率部队迅速南下甘泉县下寺湾，同红十五军团会合，取得了直罗镇战役的胜利，张闻天率中央机关进驻瓦窑堡。

抗日战争时期的延安

1936年6月21日，陕北之敌张云衢偷袭瓦窑堡，中央撤离瓦窑堡，于7月3日进驻保安县（为纪念红二十八军军长刘志丹烈士，于1936年6月改为志丹县）。

1936年12月12日，在抗日民族统一战线政策的强大感召和全国抗日救亡运动的推动下，国民党爱国将领张学良、杨虎城发动了震惊中外的西安事变，并电邀中共中央派代表前往西安共商救国大计。中共中央及时召开政治局会议，提出了和平解决西安事变问题的英明决策，决定派周恩来、秦邦宪、叶剑英等同志前往西安与张、杨协商和平解决西安事变问题。同时命令中央军委警卫团政委江华率队接收延安城防事务。

江华，1907年8月生于湖南省江华县，原名虞上聪，时名黄春圃，1938年改名江华。12月13日，江华随中央军委副参谋长张云逸来到周恩来副主席的住处。周副主席简要地向江华介绍了西安事变爆发的情况，说："为了防备蒋军进攻，东北军、西北军要向西安周围收缩兵力，现在他们要求我们去延安接防。"随即问道："现在你手下有多少兵力？"江华答道："我们刚打下旦八寨子，部队还在那里休整。"周副主席把手用力一挥说："不要等了，你立即带张国焘的手枪连出发，到安塞附近找陕北红一团。这一带的部队全归你指挥，迅速接收延安。"并叮嘱江华作好准备，马上出发。同时，他又把身边的参谋陈有才派去当参谋长。

江华接受任务后，回到驻地，即刻动身到安塞，向陕北红一团团长黄罗斌、政委钟辉交代了任务，然后马不停蹄地带领手枪队、红一团向延安前进。15日，江华等率部到达延安北门正要进城时，城内同红军有联系的哥老会派人送信来，说城内还有国民党地方部队。为避免误会而引起冲突，江华即让部队在北门外宿营。第二天上午，从延安乘飞机去西安处理西安事变的周副主席一行来到了部队营地。江华等人护送周副主席一行赴机场登上飞机。待飞机起飞后，一同送行的延安县高县长邀请江华等人入城共进晚餐。正用餐时，江华等人得知国民党反共分子绥德专员带着百多人正在城内。他们担心这是敌人精心设计的“鸿门宴”。为防备这个专员趁机捣乱，他们很快便借故离开，由东门出城回到北门外驻地。他们连夜决定：如果明天城内国民党地方部队仍不离开，即用武力强

红军进驻延安城

1938年的延安城

行接收。当晚，江华派出了一部分部队，分别占领了东门外的清凉山和南门外的宝塔山，以防不测。这天晚上，国民党地方军全部撤走。天亮后，江华等率手枪队和红一团雄赳赳地从北门进入城内，兵不血刃，接管了延安城，胜利完成了中央军委交给的任务。

1937年1月10日，中共中央、中央军委机关离开志丹县迁往延安。经过四昼夜的行军，于14日进入延安。自此，直到1947年3月18日，毛主席、党中央主动撤离延安，毛主席和党中央在这里战斗生活了十个春秋，延安成了中国革命的心脏、全国人民无比向往的地方。

（冯建霞）

1935 1948

第四部分

延安轶事

边区第一任女县长

1941年10月2日，在安塞县举行的第二届参议会上，邵清华以67票当选为安塞县县长，成为边区第一位女县长。她以自己出色的工作，赢得了人们的信任和尊敬。

一、征粮

邵清华来之前，安塞的征粮任务常不能按时完成。她来后，首先抓这个问题。她找到在安塞工作多年、正直诚实的财务科宋科长调查了解，听他说不是任务重，而是有的干部只强调困难。她又下基层找到一区乡长王怀义，这是位朝气蓬勃很有责任心的青年，他肯定地说，就是如数完成了征粮任务，群众的余粮也够吃。征不齐公粮，一是有些干部怕困难，怕作群众思想工作；二是有些干部方法简单，态度不好，对不按时交粮的老乡随意克扣，引起了群众的反感。根据了解的情况，邵清华及时召开了科、区干部会议研究、讨论，大家统一了思想，改进了工作方法，征粮工作顺利多了。

当时七区离安塞县城最远，一百多里，山路崎岖，干部大部分不愿去催粮。邵清华和路岩（也是一位女干部）亲自步行下去。当地老乡特别热情，这家争着拉话，那家拉着吃饭。这个区的干部力量弱，她们就协助做工作，向群众宣传：党中央在我们这里，要打日本就需要粮食。群众心里亮堂了，争着交公粮。在分配任务时，对有一定困难的家户减轻任务，对确有困难的家户，不仅不征公粮，政府还想法调济。邵清华吃苦能干、平易近人，深得群众喜爱，那些开始不服气的男同志也渐渐地从心底里佩服了。

二、运盐

陕甘宁边区这块弹丸之地，由于受国民党封锁，日用品非常紧缺。边区政府决定将盐池的盐运出边区换布匹、药品、医疗器械等必需品。运盐也是一项重要的政治任务，可是安塞离盐池路途遥远，靠牲畜驮又有一定危险，不少人反对。但邵清华心中有数，她曾在三边分区工作过，去过盐池，盐池的盐质量好，结成的盐粒像小拇指尖大，晶莹透亮，数量又多，堆得像小山，既可食用，也可入药，还可作化工原料。邵清华一方面做干部的思想转化工作，一方面找有经验的老农请教。最后挑选了一批精干强壮的人员组成了一支壮观的运输队。区长亲自带队，队员有些当过脚夫，有长途跋涉经验，有些队员会给牲口治病。他们备足了干粮和水，尽管路途遥远，翻山越岭、穿沙漠、蹚急流，但干部责任心强，队员认真负责，牲口体壮膘肥，第一次任务圆满完成。第一炮打响，以后的工作越来越顺利，他们用这些源源不断的盐为边区换回了许多紧俏的必需品，给边区的经济建设做出了巨大贡献。

三、组织起来

1942年边区开展了大生产运动。邵清华积极响应上级号召，亲自带队一个区一个区地动员宣传，帮助建立了春耕委员会，在全县发动变工运动，组织劳力为抗属烈属代耕。尤其是她亲自抓的点——徐家沟，变工队互帮互助，男耕女织，就连一贯游手好闲的二流子也被带动投入了生产。全村生产搞得轰轰烈烈，人心齐，庄稼伺弄得好，年底基本上做到耕一余一。徐家沟的经验很快在全县推广开来，她们的事迹上了边区报，安塞县受到表扬，被赞为后起之秀。

四、能打硬仗

1941年冬，王震指挥的三五九旅遵照中央“反摩擦”指示，从绥德把何绍南赶跑，在返回延安时，中途需要到安塞休整三天，边区政府将正在参加边区参议会的邵清华派回，要她限期完成部队的供给任务。当时，安塞地广沟多、山高路远，群众居住分散。要及时解决一万多人及牲口的吃住，困难确实不小。邵清华一回到县上，立即派出所有的干部分头行动，动员群众有米拿米，有面拿面，推磨碾米，把粮磨好碾细，各村各户全力以赴为部队提供方便，保证部队吃好、住好、休整好。三天里，村村户户推磨碾米声、说笑声此起彼伏。第三天天黑，在部队到来之前，就全部准备好了。这次任务完成得非常出色，邵清华受到党中央的表扬。事后，王震每说到这件事，总是不住地赞扬：“当时能够兵马未到、粮草先行，全凭我们这位女县长。”

五、秉公执法

邵清华同志初上任那年，正遇春荒，安塞歉收，农民吃粮十分困难。1941年5月，六区农民尚迎春、李之安领了二十多个农民，抢走窑则湾仓库二十多石粮食。原任县长、书记派保安队去捉拿，打死了李之安，逮捕了尚迎春，并判刑5年。群众议论纷纷。邵清华到任，就遇上了这件事。怎么办？

她深入农村，走村串户亲自了解，看看老乡的碗里，看看老乡的锅里，再看看老乡面缸、米缸。她明白了：春荒严重地影响了春耕生产，有些群众连锅都揭不开，吃的是野菜汤汤。而且六区化子坪乡指导员张彦，身为领导干部，明知群众吃饭困难，不积极想办法为群众借粮，反而暗地唆使群众抢粮，自己从中得利。

邵清华调查清楚后，连夜起草文件，请求边区政府援助，要求减征公购粮、借粮借草以度灾荒。边区政府很快采纳了她的建议。决定将当年公购粮免征，还拨给安塞县粮食一百石，农业贷款二十万元（边币），并同意县政府出借一部分谷草。邵县长生怕不够分摊，又动员机关干部将当年口粮抽出六十石，借给农民。群众顺利渡过了春荒，投入了春耕。

邵清华又给抢粮事件的挑头者尚迎春作思想工作，使尚迎春认识了自己的错误。邵县长给他平了反，逮捕了教唆犯张彦。

这件事情的正确处理，大快人心，人们更钦佩这位年轻的女县长了。

安塞当时出了一个轰动案件，一个村妇因和别人通奸害死了丈夫。邵清华身边有位工作人员，对己要求不严。这位村妇在收审期间，这个工作人员让这个女犯给她拆洗被子、洗衣服，并在邵清华面前替这个女犯说情，开脱罪责。邵清华与刘审判长一起审清案件，坚决将这个女犯枪毙，那个男犯也吓得投案自首。从此，邵县长秉公执法的美名在全县传开了。

六、领头雁

邵清华是江苏人，在北京长大。1935年参加革命，1937年到延安。曾任抗大区队长、指导员、三边分区妇联主任等职。她到安塞任县长时，边区政府主席林伯渠对她说："为了妇女解放，为了妇女在经济上、政治上翻身，党需要从各方面做工作，培养各方面的妇女干部，你们要有信心，大胆去干吧！"当时和她一起去的延安女大学生有路岩、章岩、李蕴辉。路岩担任县政府政务秘书，章岩为一科科员，李蕴辉为三科科员。

女干部的到来，无疑对当时闭塞落后的安塞是一个震动，尤其是那些受封建思想束缚较严重的农村妇女大开眼界。女县长和她的同事们大方、爽快、泼辣、能干，极大地影响带动了当地妇女群众。安塞不是产棉区，农民穿衣要用粮食去外边换取。邵清华从外地请来纺织能手，教本地妇女纺线织布，而且很快在全县推广开来，涌现出不少新鲜事，有的是婆媳一块儿学，有的是姑嫂互相教，群众的穿衣问题基本上得到了解决。

1942年夏天，邵清华给县上办了一所女小，这可是安塞前所未有的大事。教师、学生清一色的娘子军，学生达到六十多个，学校办的很红火。

随着全县各项工作的深入开展，邵清华不失时机地发展了一大批妇女干部，并且大胆提拔使用。除了章岩、路岩、李蕴辉之外，又陆续来了罗晓、孙力、杨立西、张自力、陈一清、陈雪云、鲁明、张之、鲁加珍、朱秀兰、白七珠、白云庭、刘天明等十几名女同志。全县七个区，有六个区的宣传科长是女的，宣传部长也是女的，法院、政府也有女干部。当时的安塞被人们亲切地称作“女儿国”。她们用自己的实际行动证实了妇女的力量。

1943年，邵清华调离。虽然只有两年，但邵清华的名字、邵县长的事迹却在安塞人民中流传着。《解放日报》曾这样写道：“安塞县县长邵清华同志，彼为25岁之女青年县长，该县县政府在她的主持下一切均井井有条，成绩斐然，深受该县民众之欢迎。”

（王　斐）

延安“福尔摩斯”赵苍璧

一、标语在哪里

赵苍璧，1916年出生于陕北清涧一个农民家庭，受陕北红军的影响，1934年参加革命，1935年入党。担任过区苏维埃主席、西北保卫局巡视员等。1935年，赵苍璧被送到中共中央西北政治保卫局在瓦窑堡举办的保安人员培训班学习，培训班即将毕业时，中共中央西北保卫局侦察部长兼培训班主任周兴，给全体学员出了一道题：教室里有条“反动”标语，请大家去找，看谁能够先找到。周兴的话音刚落，大家就一拥而上挤入教室，翻桌倒凳，扣缝挑板地紧张找开了，但都一无所获。赵苍璧此时显得非常冷静，他先向四周观察一下，然后从一张桌子上拿起一张纸说：“反标在这里。”在场的同学在那张纸上看来看去看不出什么名堂，上面只不过写着四个排列工整的成语：明日黄花，日理万机，暴风骤雨，动作敏捷。哪有什么“反动”标语？只见赵苍璧微微一笑，将四句成语的后三字遮去，于是就只剩下了“明日暴动”

赵苍璧

四个字。啊，大家明白了，这是一个藏头标语。他敏捷的思维、优异的成绩得到了西北政治保卫局领导的欣赏。因此，在培训班结束时，他被留在西北政治保卫局工作，担任保卫局巡视员。

二、一番讲话剿除了一股土匪

1937年春，赵苍璧担任陕甘宁边区保安处巡视团副主任、主任、三科科长。这期间，赵苍璧收到延水县政府转来的投诉信件，了解到清江东区沿黄河一带有一个哥老会组织，反动头目勾结国民党武装势力，烧杀抢夺，残害人民，无恶不作。当地老百姓人心惶惶，无心从事生产，于是当地流传着一句顺口溜："狗一叫，人心跳，人一喊，全村乱。"他看后怒火中烧："这伙王八蛋，这还了得。"当即带领巡视团的同志召集这一带的赤卫队负责人开会，布置任务，到实地调查了解土匪的活动情况，派人对他们进行严密监视。随后，他迅速派遣县保安队一个班，由白加智等人带路，和赤卫队配合将寺家山、老庄里、枣上里、腰里、刘家山、宫廷河、马家山、寨山里等村的土匪一举抓获，并集中到庄河村开会。在会上，赵苍璧作了《关于铲除哥老会的动员报告》。他从三次反"围剿"的胜利讲到边区革命根据地和武装力量的壮大，从哥老会头目被镇压讲到哥老会成员签名自首，弃暗投明，戴罪立功，重新做人，一口气讲了四个多小时。大家听得十分认真，就连准备寻机刺杀赵苍璧的哥老会骨干分子葛凤奇也听得入了迷，受到了教育。他没有刺杀赵苍璧，而是携带家眷，远走他乡，改名换姓，老实务农。这次会议，使受蒙蔽的哥老会成员深受教育，纷纷表示退出这个组织。到会的近千名哥老会成员在《自首书》上签了名，并按上自己的指印。这次会议摧垮了这个黑社会组织，稳定了当地的社会秩序，使农民过上了安定的日子。

三、组建延安的第一支便衣队

1940年，陕甘宁边区成立了便衣队，赵苍璧担任便衣队队长。

便衣队的主要任务是侦破敌特组织。便衣队人数不多，只有十多人，都是从部队和地方抽来的，做过保安工作，具有一定侦察经验的优秀分子。便衣队首先在延安新市场对面的深沟里学习。学习开始的第一天，赵苍璧宣布了严格的纪律：学习期间，一律不准对外联系，本人身份、工作性质一律不准泄露，连妻子儿女都不能说。当时，业务学习中教材十分缺乏，赵苍璧就自己编写教材。他参照苏联的教材，结合中国的实际情况和自己丰富的侦察工作经验，编写了“怎样收集和传递情报”、“侦察与反侦察”等基础教材，并亲自担任教员。当时主要学习的是如何接近敌战区搜集军事情报、了解敌特活动情况和铲除我党叛徒等内容。他深入浅出的讲解使同志们迅速掌握了侦察工作知识。为了使课堂教学与实际斗争结合起来，在讲到盯梢跟踪等科目时，他还带领学员到社会上实习，用亲身经历和体会给学员们示范如何侦察等。在课堂之外，他还手把手地教同志们怎样巧妙地隐藏情报，如把情报放进麻绳中传递的“绝招”就是赵苍璧同志在训练时教给学员的。学习结束后，学员们化装成不同职业、各种身份的人被分散到各地搜集情报。这些同志后来大部分都成了公安战线的领导干部。

四、建立秘密侦察力量

1936年，为了传递情报的安全，赵苍璧在延安七里铺设立了一个叫“义兴和”的客栈，作为便衣队的一个秘密联络点。当时，“义兴和”的老板是刘裕和。赵苍璧规定，一般情况到客栈联系，有紧急情况可化装秘密到延安保卫处汇报。当时，“义兴和”客栈的性质只有延安保安处少数领导知道。便衣队开展工作不久，赵苍璧派侦察员王如勃到洛川、合阳、澄县、韩城一带搜集情报。洛川是敌占区，敌军驻有一个机枪营，对我解放区威胁很大。王如勃临行前，赵苍璧交给他一项从内部瓦解敌人的艰巨任务，并向他传授了瓦解的方法和行动步骤。王如勃到了洛川后，经过工作，结识了在

机枪营当兵的一个同乡，经过广泛了解，证明他对国民党的腐败确实不满。王如勃将此人的情况向赵苍璧汇报后，赵苍璧指示："继续做他的工作，打开突破口，扩大策反成果。"在赵苍璧的指点下，王如勃用多种手段和关系将此人说服，并让他再去说服其他对国民党不满的士兵。后来，此人带着机枪营的四五个士兵，携带一挺机枪和一支手枪投奔了革命。

1937年，赵苍璧调任定边区公安处长时，其部下王如勃在盐池县任公安局长。王发现一个商铺很值得注意，经常有些来历不明的人在那里进进出出地活动，这些陌生的面孔非常令人生疑，他观察了一段时间，便将此情况汇报给赵苍璧。赵苍璧很重视这一情报，他思考了一下，指示王选派得力的侦察员打入敌人内部，放长线钓大鱼。于是几天后，该商铺就来了一个老实巴交的新伙计，每天除了干活，对其他的事情一概不打听，过了一段时间大家就习惯了这个新伙计的存在。这个新伙计送出来的情报，果然不出赵苍璧所料，这里是国民党特务组织设立在定边区的一个重要联络点，特务们在经商的幌子下，干着收集我军情报、策反我党政干部的事情。当情况明了以后，赵苍璧亲自来到盐池，命令收网捉敌。在一个夜晚，王如勃带领十多名战士对商铺进行了搜捕，当场将商铺老板和敌特一个联络员捉获，并在铺中搜出了手枪、大烟土和我军政情报等证据。当天夜里，赵苍璧亲自审问了案犯，一举挖出了隐藏在定边的十多个敌特分子和我党内的几个蜕化变质分子，从而基本摧毁了定边地区的特务组织。

（冯建霞）

张寒晖谱写军民生产歌

张寒晖

“四三年呀么嗬咳，大生产呀么嗬咳，边区的男男女女西里里里察啦啦啦嗦罗罗罗太，齐动员呀么嗬咳。”

每当人们唱起这支《军民大生产》，就会情不自禁地想起当年陕甘宁边区军民热火朝天忙生产的情景。

这首歌曲的作者叫张寒晖，他是河北定县人，著名的音乐家、戏剧家，歌曲《松花江上》的作者。1942年春，张寒晖从关中分区来到延安，担任了陕甘宁边区文化协会秘书长。此时，正是边区经济十分困难，党中央提出大生产运动的时候。他看到文协机关干部和群众的生活非常艰苦，就主动争取担任领导文协开荒的生产任务。

文协领导柯仲平说：“敲锣卖糖，各管一行。你是戏剧、音乐的专家。你管好戏剧、音乐这一行就行了。”

“不过，眼下是生产运动最需要人，还是让我搞生产吧！”张寒晖争取着。

就这样，张寒晖又担任了文协生产委员会主任，信心十足地带领大家开展大生产运动。

1943年，张寒晖带领文协群众，到延安以东十多里的李家渠山沟里开荒、种地，开辟出一个菜园子。经过几个月的辛勤劳动，他和大家一起种出了西红柿、莴笋、黄瓜、辣椒、豆角等，为改善文协群众的生活迈出了第一步。1944年，张寒晖又带领大家，在南泥湾附近的中庄开辟农场，建立了文协的粮食生产基地。他们砍梢林、搭棚子，下雨天用被单挡雨，晚上点着松枝照明。每天从早到晚，劳动、战斗的歌声响彻田野、山头……

这年7月，为了筹备即将召开的边区文教会议，张寒晖到陕甘宁边区陇东分区下乡调查研究和开展宣传工作。他来到华池县的城壕村开展了一个识字运动。在教群众识字之余，张寒晖最大的收获就是学了许多陇东民歌。

张寒晖的房东张振义的婆姨会唱民歌。一天，张寒晖说："大嫂，你把《推炒面》再唱两遍，我就能全部学会了。"那婆姨说："能么。不过那是老歌，听起来挺凄苦的，有啥好学的？"

"那调子美得很。"

"调子美，是苦音，唱的是受苦媳妇的事，这里的婆姨女子全会唱。"

马健翎、柯仲平在延安

接着，大嫂就唱起来："鸡叫头遍么嗬咳，叫二遍呀么嗬咳，月亮上来么齐里里里察啦啦啦嗦罗罗罗得，推炒面呀么嗬咳。黑驴推呀么嗬咳，麻驴推呀么嗬咳……"这个歌的曲调很苦，张寒晖还想起河北老家的《寡妇哭坟》，也是很凄苦的。

几天后的一个早

晨，张寒晖拿着锄头准备锄地去，看见村西打夯盖房子。打夯的人唱着夯歌，风格独特的夯歌立即吸引了张寒晖。夯歌的领唱者，不是别人，正是张振义。张寒晖放下锄头认真听着，咦？调子很耳熟，这不就是《推炒面》的调子吗？怎么现在听起来这么热烈，这么有力量，与《推炒面》的味道完全不一样了！啊，农民群众的艺术创造力真不小，一首悲伤、低沉的《推炒面》，略加变化，竟成了雄壮、有力的夯歌！民间音乐太有意思了。粗看起来，它就像粗糙的石璞，如果谁能深入下去，钻进去，谁就能透过粗糙的石璞，开凿出晶莹的美玉！

从陇东回来后，张寒晖改任文协戏剧委员，到八一剧团协助工作。他给年轻的演员们讲乐理、教识谱、讲角色创造，有时又讲文艺的工农兵方向……有一天，剧团下乡走到半路休息时，张寒晖把演员们集中到一起说："今天给大家教一首新歌《军民大生产》。这是我根据陇东民歌《推炒面》调子填的词。"说着就唱开了。

这首充满了勃勃生机，又充分反映了边区军民生产抗战的歌曲，大家一听就爱，一学就会。张寒晖在按照陇东民歌《推炒面》填词的时候，改变了原曲的速度、节奏和装饰音的用法，充分发掘了原曲的朴实刚健的内涵。他也从陇东夯歌中吸取了营养，把《军民大生产》当作一首劳动的号子来处理，使其具有了豪放、粗犷、雄壮的格调。就这样，一首不平凡的歌曲诞生了。不久，《军民大生产》被关中八一剧团采用领唱、齐唱、轮唱的形式搬上了舞台。以后唱遍了全边区、全中国。

（王　宁）

今日武将军

丁玲

1933年5月，丁玲因从事革命活动被南京政府秘密绑架。后来，关于丁玲的消息迭起。造谣的人，说她转向了，加以丑化；进步的人，说她遇难了，痛心疾首，鲁迅还写了《悼丁君》的诗。就在这时，即1936年深冬，丁玲却在红都保安的一孔大窑洞里，受到中央宣传部的热烈欢迎。毛泽东、周恩来、张闻天等都来了。

面对如此厚待，丁玲激动不已。她像在远方受到很大委屈的女儿回到父母身边一样，诉说着自己的遭际。毛泽东亲切地问她："丁玲，现在你打算做什么呀？"

"当红军，上前线去打仗！"丁玲毫不犹豫地说。

毛泽东笑了，说："好呀！还赶得上，可能还有最后一仗。你跟着杨尚昆他们领导的总政治部上前方去吧！"

丁玲高兴得跳了起来。随后，她打点行装，从保安启程，奔赴陇东前线。

在前线，有一天，丁玲收到一封电报，她展开一看，原来是毛泽东写给她的词作《临江仙·给丁玲同志》：

壁上红旗飘落照
西风漫卷孤城
保安人物一时新
洞中开宴会
招待出牢人
纤笔一支谁与似
三千毛瑟精兵
阵图开向陇山东
昨日文小姐
今日武将军

丁玲在延安

丁玲接到这封特殊的电文，激动不已，喜出望外，这是一种多么大的奖掖和鼓励啊！

1937年初，丁玲从前线回到延安。她到凤凰山窑洞里看望毛泽东。毛泽东高兴地问她："丁玲，你还打算做什么？"

丁玲说："我还当红军！"

"为什么呢？"

"您不是主张'昨日文小姐，今日武将军'吗？"毛泽东微笑着谈起这首词，丁玲也谈了这首词的情境和她对词的理解、认识。毛泽东高兴地提起了笔，又手书《临江仙》这首词，送给丁玲留念。丁玲看到毛泽东龙飞凤舞、潇洒苍劲的字迹，激动得几乎流下热泪。

不久，抗日战争爆发了，丁玲等领导组织了十八集团军"西北战地服务团"，毛泽东任命丁玲为团长。1937年8月15日，在延安各界举行的大会上，毛泽东亲自致词，勉励丁玲带领西北战地服务团到前线去，为前线官兵和广大群众服务，为抗日军民服务。丁玲到了前线，指挥文艺战士，宣传抗战、演戏、唱歌、演讲、贴标语，激励抗战将士英勇杀敌，发动群众支援抗战，确实成了一位无愧于人民、无愧于抗战的"武将军"。

（郝　璐）

陈强舞台遇险

1945年6月10日，鲁迅艺术学院为党的七大献礼，首次公演了大型歌剧《白毛女》，获得了极大的成功。扮演地主黄世仁的陈强的出色表演，给大家留下了深刻的印象。

当初《白毛女》剧组刚一成立，陈强就瞄准了喜儿的父亲——杨白劳这个角色。但没有想到，导演却让他扮演恶霸地主黄世仁。陈强气呼呼地找到导演说："为什么偏让我演黄世仁呢？我没有体验过地主的生活，黄世仁在舞台上的所做所为，我能表现出来吗？难道我像坏蛋吗？"他当场向导演提出坚决不演反面人物，不演黄世仁。

《白毛女》写的是某地恶霸地主黄世仁逼死佃户杨白劳，又奸污其女儿喜儿，后又企图将她卖掉。喜儿在佣人的帮助下，逃居深山老林多年，头发全白了，被村民传为"白毛仙姑"。八路军解放该地后，镇压了黄世仁，喜儿得以翻身。由于陈强不愿演这么一个狡诈、毒辣的恶霸地主，剧组不得不把戏停下来，做他的思想工作，改变他对演反面角色的看法，让他学习毛泽东《在延安文艺座谈会上的讲话》，体会"讲话"精神。在大家的帮助下，陈强通过认真学习，联系自己的思想实际，认识到无论演正面人物，还是反面人物，都是为人民服务，况且以反面形象去教育广大人民群众，也是很重要的呢！思想通了，陈强的创作情绪也就大了，愉快地担当了黄世

1945年4月，歌剧《白毛女》在延安首次演出

仁这一角色，并且敢于大胆创新、细致刻画，把地主阶级残酷的本质暴露在观众面前，让人们去认识他、痛恨他、打倒他。

果然，《白毛女》首次演出即获得成功。随后在延安连续演出三十多场，受到广大干部群众的热烈欢迎，陈强却从此屡遭不测之险。一次，为部队战士演出《白毛女》到最后一幕“斗争黄世仁”时，随着台上群众演员“打倒恶霸地主黄世仁”的口号声，台下的战士也都怒不可遏，拿起老乡慰问的青梨，纷纷朝台上的黄世仁打去，其中一个梨子正好打在“黄世仁”的眼睛上。还有一次为部队演出，战士们刚刚开过诉苦大会来看戏，当演到喜儿诉苦时，台下的战士已泣不成声。突然，有一个翻身后参军的战士“咔嚓”一声把子弹推上枪膛，瞄准了舞台上的黄世仁。在这紧要关头，幸亏被班长发现了，把枪夺了过去，质问他：“你要干什么？”那个战士指着台上的黄世仁，理直气壮地说：“我要打死他。”之后，部队规定，看《白毛女》一律不许带枪。最使陈强苦恼的是，当他走在延安的街上，常常被人认出来，“看，‘黄世仁’来了！”他再上街，不得不装扮一下。而他所在的鲁艺的小孩见了他，不再叫“叔叔”了，直接称呼他“坏蛋”……

1962年5月，为纪念毛泽东《在延安文艺座谈会上的讲话》发表二十周年，原班人马重演《白毛女》时，公安部长罗瑞卿提起往事，风趣地问陈强：“怎么样？要不要让我派人保护你呀！”说毕，两人都会意地笑了。

（郝　璐）

共产国际特派员孙平的延安使命

共产国际驻延安联络员兼塔斯社随军记者彼得·弗拉基米洛夫，中国名孙平

抗日战争时期苏联在延安有个情报组，他们有自己的电台，其电讯可直达斯大林。报给斯大林的多属战略性、策略性和政策性方面的大问题。“中央农委”的电讯则是直达季米特洛夫，而季米特洛夫和斯大林又是相通的。

苏联为了加强东方的情报工作，曾先后派遣伊万诺夫、基斯连科等各兵种混合情报组来延安。1942年5月，孙平来到延安，他的原名叫彼德·巴菲诺维奇·弗拉基米洛夫，曾于1938年5月至1941年8月作为塔斯社驻华记者、领事馆外交官等身份在兰州等地住了近3年，主要从事情报工作。和他同来的还有一位少将级外科军医阿洛夫，一位随员尼古拉·葛梅尔。孙平此行的身份是：共产国际驻延安联络员兼苏联塔斯社随军记者。他们不仅转发中共为其提供的有关日本、国民党的情报，还秘密报告中共中央的一些举动。

孙平有一定的汉语能力，经毛泽东同意，孙平可以同社会部、八路军总部、新华社等单位直接联系。不过主要联系人是社会部部长康生，当然也受康生的监控了。

由于孙平向莫斯科反映了大量关于中国共产党的错误情报，原共产国际执行委员会总书记季米特洛夫于1943年12月22日致信毛泽东，错误地指责中国共产党的整风运动是“反对周恩来和王明的运动”，要“把周恩来和王明这样的人排出在党之外”。

中共中央和毛泽东知道季米特洛夫是因为偏信错误的情报才发出这封有严重错误的信，所以采取了既坚持原则又继续维护友谊和团结的态度，正确处理这封来信。

1944年1月2日，毛泽东通过中共中央的电台，向莫斯科发了一份电报，向原共产国际领导人表示真挚敬意，告之收到季米特洛夫的来信，说明中国共产党在领导中国革命中的任务、政策和为之奋斗的基本原则。延安当时有两部大功率电台可以同共产国际和苏联保持联络，一部是孙平掌握的位于枣园中央卫生所的电台，另一部是任弼时直接负责的“中央农委”位于侯家沟的电台。

1月4日晚，毛泽东邀请孙平即弗拉基米洛夫一起看平剧，散戏后，毛泽东明确地告诉他，季米特洛夫的信已经收到。并表示另约时间同他谈谈季米特洛夫来信中所提出的问题。

1月6日，毛泽东同刘少奇、周恩来等邀见孙平等人，向他们说明中国共产党整风运动的目的和情况：中共没有采取任何行动破坏抗日统一战线；在中国革命根据地里，反共产国际的宣传是不存在的；延安的工作一切正常。

第二天，毛泽东亲自去孙平的住处，向他解释中共中央处理党内问题中坚持的原则。随之，毛泽东写了一份给季米特洛夫的电报，要求孙平立即发往莫斯科。电报再次说明中国共产党在领导中国人民奋斗中遵循的原则；对季米特洛夫的心情，表示感动，请他不要担心，要冷静下来，正确理解中共领导的党内政策。电报指出，中共一直都在采取有力措施来加强党的团结，结果，党内形势大为改善，党内政策的实质是统一和团结，至于对王明，也完全是按党内统一和团结政策这个主要原则来对待的。

从1944年6月起到七大召开前，毛泽东每一两个礼拜，必同孙平长谈一次，也有一礼拜谈两次的时候，每次谈三四小时，就像上党课一样。内容是中共建党以来的发展过程，各个阶段的国内形势变化，各个时期党、政、军的发展变化，派别斗争等等。对党内的派别（即宗派主义倾向）问题讲得较多。

此后，中共中央仍和孙平友好相处。孙平继续留在延安任苏联驻延安联络员兼塔斯社随军记者，直到中国抗日战争胜利后，他才于1945年11月离开延安回国。

（刘　洋）

延安交谊舞的传播人

许多人都知道在延安时期周末时兴跳交谊舞，但对交谊舞是怎么传到延安的却知之甚少，甚至完全不知道。实际上，延安时期的交谊舞是美国女记者艾格妮丝·史沫特莱传到延安的。史沫特莱是美国著名记者、作家和社会活动家，一个杰出的与众不同的女性。她撰写的《中国红军在前进》、《中国人民的命运》、《中国在反击》、《中国的战歌》等著作，向世界宣传了中国的红色革命斗争，成为不朽之作。她访遍了中国华北、华中的大部分地区，用热情召唤更多的国际友人，一同为中国抗战出力。

1937年1月，中共中央由保安迁到延安。同月，美国女记者艾格妮丝·史沫特莱来到延安进行采访，她是继《西行漫记》作者埃德加·斯诺之后到延安采访的第二位外国记者。她来延安时，身穿羊皮大衣，头戴貂皮帽子，脚穿高筒马靴。这身时尚的打扮站在当时只有青灰色军装以及老羊皮袄的延安人中间是十分引人瞩目的。和她一块的还有年轻漂亮、长发披肩，大学毕业后写过诗、演过话剧，此时给史沫特莱当翻译兼秘书的吴光伟（吴莉莉），以及最早奔赴陕北的作家丁玲。

这三位思想比较解放，而且还是单身的女性像旋风一样出入在各种政治、社交和群众场合，所到之处都受到热情接待和热烈欢迎。那个时候，由于内战基本停止，人们的生活相对稳定，在延安的各个机关单位开始实行星期天休息的制度，每到星期六的下午或

毛泽东、朱德在延安接受艾格尼丝·史沫特莱（右一）采访（1937）

晚上，人们就举行一些文艺活动。但是，革命队伍里盛行的娱乐节目是集体唱歌和相互“拉歌”，史沫特莱不擅长唱歌，却能跳舞，尤其擅长交谊舞，她曾想让别人跟她学跳交谊舞，但遭到拒绝。

在延安召开的一次高级军事干部会议期间的一次晚会上，史沫特莱又想让别人学跳交谊舞，但同样遭到拒绝，一连几次被拒绝后史沫特莱感到很尴尬。朱德看见后主动走到史沫特莱的面前，说：我想学，你给我教怎么样？史沫特莱见朱德想跟她学跳舞，立即笑逐颜开地说：行呀，没问题。她认真地给朱德教了起来，从此揭开了交谊舞在延安的序幕。后来，周恩来也跳了起来。彭德怀不苟言笑，既不唱歌，也不跳舞，只是坐在旁边观看。贺龙经不住诱惑，索性在青砖铺的地上随音乐旋律跳了起来。

由于交谊舞是男女相互搂抱着跳，史沫特莱在延安的妇女中间落下败坏军风的骂名。尽管史沫特莱来自美国，思想比较开放，但毕竟人言可畏，以致有一回朱德邀史沫特莱再教他跳一次舞时，史沫特莱居然谢绝了朱德。朱德指责史沫特莱怕事，说：“我朱德同封建主义斗了半生，现在还不想罢休！我都不怕，你怕什么呢？”史沫特莱只好以民主的名义和朱德跳了一次。

尽管女同志不喜欢跳交谊舞，也反对交谊舞，但这个舞种在男同志间却传播得比较快，在凤凰山史沫特莱的住处经常有私人性质的娱乐晚会，当然，主旋律是跳交谊舞。毛泽东刚开始由于“自尊心强，也没有节奏感”，他不学跳舞，但却经常看大家跳舞。

慢慢地，交谊舞逐渐出现在公开举行的晚会上。毛泽东形容“跳舞就是照着音乐走路”。虽然他也经常光顾舞场，但一开始并没有参加交谊舞，每次去了只是观看别人而已。

但是交谊舞活动在延安遭到了女同志们的强烈反对。在她们看来，男男女女夜晚聚在一起跳交谊舞，彼此亲密地接触，是伤风败俗的资产阶级腐朽生活方式，而祸根子不是别人，就是史沫特莱。

一时间，延安因为交谊舞而闹得沸沸扬扬。先是吴光伟在1937年7月底悄然离开延安；史沫特莱因为从马背上摔下来受了伤，在延安多呆了一段时间，到9月初，也与斯诺夫人一道告别了延安。

但是，延安交谊舞热潮并没有因此而消歇。相反，因为有了大量青年学生的到来，延安周末晚会或交谊舞会更加时兴起来，一些当初曾强烈反对跳交谊舞的女同志也开始慢慢地跟着跳起了交谊舞。

延安交谊舞热潮持续到1942年延安整风运动全面展开。经过整风审干运动，1943年元旦以后，群众性的大秧歌舞取代了交谊舞。

（花海洋）

张治中三到延安

张治中是国民党民主派的代表人物，是同中国共产党有长期历史关系的亲密朋友。抗日战争和解放战争初期，他代表国民党同中国共产党进行多次和谈。为了和谈，张治中风尘仆仆，三次往返于重庆、延安，毛泽东曾称他为“三到延安的好朋友”。

1945年8月，日本宣布无条件投降，抗战胜利了。蒋介石三次电邀毛泽东到重庆商谈国事。为避免内战，力争和平民主，揭露国民党反动派假和谈真备战的阴谋，团结和教育全国人民，毛泽东复电应邀。8月27日，张治中和美国罗斯福总统的私人代表赫尔利乘专机去延安迎接。8月28日，张治中陪毛泽东抵达重庆，整个山城为之欢动。毛泽东在重庆期间，张治中为了确保毛泽东的安全，将自己的桂园腾出来作为毛泽东办公会客和休息的地方，对毛泽东的生活和安全作了周密安排，并再三叮咛警卫人员：“保卫毛泽东主席，要胜过我十倍。”

毛泽东与来延安的张治中在一起

经过艰难曲折的谈判，10月10日，在桂园的客厅里国共两党签订了《双十协定》。次日，为了防止国民党特务的迫害，张治中亲自陪送毛泽东飞返延安。在群众欢呼中，毛泽东说，重庆谈判已打开了局面，但以后应做的事情多着呢！张治中也讲了话，他说他把毛泽东主席接到重庆，今天又送回延安，他尽到了责任，感到光荣。他的话音一落，群众报之以感谢的掌声。当晚，中共中央为张治中举行了盛大的欢迎晚会。12日，张治中返回重庆，毛泽东亲自送张治中到机场。在车上，两人又说又笑，相互交谈，毛泽东真挚赞扬张治中：

“你为和平奔走是有诚意的。”

“何以见得？”张治中问。

毛泽东说：“你把《扫荡报》改为《和平日报》就是一个例子。《扫荡报》是在江西围攻我们时办的，你要改名字，一定有人不赞成。”张治中对此深感鼓舞。

张治中返回重庆后，面对国民党不断制造摩擦，积极准备“剿共”的现实，寝食难安，他给蒋介石写了一封万言书，对当时国内外形势做了详尽分析，力言对中共问题采取政治方式解决是独一无二

1945年8月28日，毛泽东离延赴渝前与朱德、周恩来同赫尔利、张治中合影

的途径。1945年12月20日，美国总统杜鲁门派特使马歇尔来到中国，调停中国内部争端，于1946年1月10日签发了停战协定，又组织了三人军事小组。国民党政府派张治中为代表，中共代表是周恩来，美方马歇尔作为顾问，举行会议研究国共双方军队的整编统编问题。经过四十天的商谈，于1946年2月25日在重庆签订了整军方案。三人小组随即乘坐专机到同时驻有国共两军的地方去查看实地情况，并解决一些具体问题。

在各地视察后，三人小组于3月4日飞到延安。中共中央又特别举行了一次盛大的欢迎晚会。延安各界表现出对和平的渴望使张治中深受感动。他希望全国团结一致，共同为建设和平、民主、团结、统一的新中国而奋斗。最后张治中风趣地说："刚才吃饭时，我与毛先生的夫人开玩笑说，你们将来写历史的时候，不要忘记写我张治中三到延安这一笔。"他幽默的话语，博得了全场热烈的掌声。

"张治中三到延安"，不胫而走，成为历史佳话。

（马　琼）

延安标准时间的由来

1944年夏天，英国学者林迈克到达延安，投身中国的抗战工作。林迈克是一位无线电爱好者，并曾担任过英国驻华使馆新闻官。他到延安后被任命为八路军通讯部技术顾问，用其一技之长，直接为根据地军民服务。当时的延安，还没有统一的标准时间。有些单位采用中国东部的华东时间，有些单位采用华中时间。这些不同的标准时间，给各部门之间的工作联系造成了混乱，特别是给延安和其他根据地的联系带来不便。为此，延安的《解放日报》曾发出布告，规定延安的标准时间一律以陕甘宁边区政府院子里的石日晷为准。石日晷的计时方法，是古代社会流传下来的一种计时方法，优点是制作简单，缺点是计时不准确。在当时物资相当匮乏的延安，石日晷计时法，不啻是一种较好的方法。然而，这样一来，延安的时间虽然统一了，但通讯部门和其他地区电台站的标准时间差就加大了。

在实际工作中，林迈克发现以石日晷为标准时间给工作带来很多不便，但由于这是中央做出的决定，没有人提出异议。为此，林迈克给毛泽东写了一封信，陈述使用石日晷带来的种种不便，希望延安能采用当今世界上已经普遍实行了的标准时区的办法。

毛泽东收到信件后，十分重视林迈克的建议，亲笔复信与他，对他的意见表示感谢；并立刻让秘书给延安的各单位打电话，咨询采用何种时间最好。经过一段时间的调查与研究，1945年2月12

英籍林迈克教授在延安给无线电训练班学员讲课

日，陕甘宁边区政府在《解放日报》刊登了关于标准时间的通知："查本边区尚无统一标准时间，甚为不便，兹决定以华西标准时间为边区统一的标准时间。按华西标准时间比延安日晷时间迟18分钟。因此，照本地日晷时间推迟18分钟，即得华西标准时间，望一律遵行，以资统一，而便对外通讯联络。特此通知。"

从此，延安就使用其所处时区的标准时间——"华西标准时间"，也就是中国中部标准时间。

（王　斐）

中共是如何出席联合国成立大会的

1945年2月18日，中共六届七中全会召开主席团会议，会议听取周恩来关于同国民党谈判情况的报告。毛泽东在发言中提出：旧金山会议我们要参加，赫尔利已同意，需与民主同盟联合提出要求。

同日，周恩来致电赫尔利，指出：4月25日在旧金山召开的联合国会议，决不能单独由国民党政府派遣其代表去出席。出席旧金山会议的中国代表团，应包括国民党、共产党、民主同盟三方面代表，国民党代表只应占代表团人数三分之一，其余三分之二的代表，应由共产党及民主同盟派遣。并要求将上述意见转达美国总

1945年4月，出席联合国制宪会议的中国代表团及随行人员合影。前排左2为解放区代表董必武

1945年4月6日，董必武出席旧金山联合国制宪会议时在延安机场与欢送者合影。前排左起：周恩来、陈家康、董必武、伍修权、章汉夫、朱德、叶剑英

统。20日，赫尔利复电拒绝。

3月7日，毛泽东在王若飞3月6日关于有消息传出蒋介石可能指派中共方面参加旧金山会议代表的来电上批示："似须电若飞，向王世杰提出我方出席人选，免蒋随意委派。"同日，周恩来起草致王世杰信，声明两事：（一）蒋介石3月1日讲话宣布在11月12日召集国民大会，表明国民党政府一意孤行，国内团结问题的谈判更无转圜余地，因此对王所提的政治咨询会议草案，已无再答复的必要。（二）对于出席4月旧金山会议的中国代表团，中共中央认为必须包括中国共产党和中国民主同盟的代表，中共中央决定派中央委员周恩来、董必武、秦邦宪三人参加代表团。要求王世杰将以上两事迅速转达国民党政府。这封信经毛泽东修改后，于3月9日发出。

3月27日，国民党政府公布中国出席旧金山会议代表团成员名单，中共方面代表只有董必武一人。同日，中共中央致电王若飞，指出：出席旧金山会议代表团名单既已公布，为委曲求全我们同意董老参加，但须告王世杰、邵力子，对只给中共一名代表表示不满。

4月1日，中共六届七中全会召开主席团会议。会议决定：董必武带随员2人（伍修权、陈家康或章汉夫），参加中国出席旧金山

中国代表团解放区代表董必武在《联合国宪章》上签字

联合国制宪会议代表团。主席团指示，董赴美后主要是争取外国朋友，提高我党的国际地位，并尽量争取留驻美国工作。下午，毛泽东、周恩来、朱德、董必武一起，同谢伟思（1945年4月4日离开延安，奉召回国）进行最后一次谈话。毛泽东说：中国共产党对美国的政策，是寻求友好的美国支持在中国实现民主和在对日作战中进行合作。对国民党的政府仍旧是：一方面批评并试图激励其进步；另一方面提出能够作为实现真正统一、民主和使全国一切力量致力于赢得战争的基础的妥协。这个妥协必须意味着国民党和蒋介石专政的结束，这个妥协必须包括承认共产党军队是国家军队的一部分，解放区政权是合法的地方政府。对于国民党，我们不打第一拳，不放第一枪。但是蒋介石现在计划召开的国民大会一定会带来内战。一旦受到攻击，我们将予以反击。一旦中国发生内战，希望美国对国共双方采取不插手政策。

4月6日，董必武由延安乘飞机抵达重庆。4月12日，董必武偕章汉夫（《新华日报》总编辑）、陈家康（周恩来的秘书）乘飞机离渝赴美，参加旧金山联合国会议。

旧金山联合国会议于4月25日至6月26日在美国旧金山举行。6月26日，联合国会议一致通过联合国宪章。董必武以中国代表之一的身份，在联合国宪章上签字。

（刘　洋）

延安8月15日前已得知日本投降的消息

1945年8月15日，日本电台广播天皇裕仁的投降诏书，举国同庆，8年的抗日战争终于胜利了。因此一般都讲延安是在日本天皇裕仁的投降诏书发布以后知道日本投降的。其实早在8月10日傍晚延安就已经知道了此事。

8月10日凌晨，日本裕仁天皇在御前会议上批准外务省提案，表示日本政府愿意接受波茨坦宣言，准备无条件投降，唯一要求是保留天皇。当天，日本政府经过瑞士、瑞典政府向交战各国发出乞降照会。

今日出版一大張
中華民國卅四年九月五日
社論
慶祝抗戰最後勝利

《解放日报》：庆祝抗战最后胜利

傍晚，延安新华通讯社新闻台从路透社、合众社收译到十万火急的电报：“日本投降了！”“日本天皇已经接受盟国条件，宣布投降！”在场的副社长吴文焘飞步出窑，赶往社长博古的住处，真不凑巧，博古刚好外出。吴文焘顺手捻亮桌上的煤油灯，摇动挂在墙上的皮盒子里的电话机，接通了毛泽东的电话。接电话的是

延安庆祝抗战胜利大会

叶子龙。吴文焘说："这里是新华社，有重要新闻，快请毛主席！"很快，毛泽东来接电话了。吴文焘向毛泽东报告了收译到的电报内容，兴奋地说：日本投降了！毛泽东听到后第一句话就是："噢，那好啊！"随即嘱咐新华社新闻台有新情况时继续汇报。不一会儿，博古在毛泽东处给新华社打电话，要他们在电话机旁等候中央指示。此时，延安的清凉山上已响起了一片欢呼声，大家奔走相告，呼喊着："日本投降了！日本投降了！"群众纷纷走上大街，扭起秧歌，举了火炬游行，整个延安城沸腾了。

约在半夜时分，新华社就得到从枣园传来朱总司令签名的、勒令敌伪向八路军、新四军投降的延安总部第一号命令，由新华社向全国广播。第二天，即8月11日，毛泽东为中共中央起草了《关于日本投降后中国共产党任务的决定》。决定指出："苏联参战后，日本已宣布投降。国民党积极准备向我解放区收复失地，夺取抗日胜利的果实。这一争夺战，将是极猛烈的"。"目前阶段，应集中主要力量迫使敌伪向我投降，不投降者，按具体情况发动进攻，逐一消灭之，猛力扩大解放区，占领一切可能与必须占领的大小城市与交通要道、夺取武器与资源，并放手武装基本群众，不应稍有犹豫”。“国共谈判将以国际国内新动向为基础，考虑其恢复，延安对美国与国民党的批评暂时将取和缓态度。但各地对蒋介石绝对不应存在任何幻想，必须在人民中揭露其欺骗，对蒋介石发动内战的危险，应有必要的精神准备，但目前阶段主要注意力应集中于解决敌伪，勇敢、坚决、彻底地夺取最大胜利，不可分散注意力”。

著名油画家蔡亮根据这一历史背景创作了《延安火炬》，又名《八一五之夜》，实际是“八一〇之夜”。

（阎　娟）

“气死牛”郝树才

抗日战争进入相持阶段以后，日本帝国主义者对我根据地开始疯狂的蚕食、扫荡，国民党反动派也借机对我进行军事包围和经济封锁，妄图把党中央和革命群众困死、饿死在陕甘宁边区。空前的危机笼罩着边区，边区赤地千里，饿殍遍野，许多人几乎没有饭吃，没有衣穿，拖儿带女逃荒要饭的人群随处可见。面对这异常严峻的局面，面对着是饿死、解散，还是自己动手这三重选择，党中央适时地发出了“自己动手，丰衣足食”的伟大号召，发动全边区的军民开展生产自救运动。毛泽东主席在杨家岭的小河边开垦了一块菜地，在繁忙的工作之余进行劳作。在毛泽东等同志的带领下，陕甘宁边区各机关单位的工作人员行动起来了，各学校的师生们行动起来了，中央领导同志也自发行动起来了，就连肩负着保卫边区安全的三五九旅的指战员们也制订了生产目标，他们用“一把镢头一支枪，生产自给保卫党中央”的豪迈热情，浩浩荡荡地开进了荒无人烟的南泥湾。

开荒大军

当年的南泥湾，遍地是荒山，荆棘满地无人烟。在这极其恶劣的

打谷场上

条件下，三五九旅的指战员们在短短的几年之内，不仅把南泥湾变成了陕北的好江南，而且涌现出一大批勇于开荒生产的劳动英雄，郝树才就是又一位号称“气死牛”的。

郝树才是陕西延长人，1935年参加中国工农红军，次年加入中国共产党。在战斗中曾立特等功四次、大功一次，获得战斗英雄称号。1937年在平型关战斗中负伤，随三五九旅进驻南泥湾以后，用满怀豪情参加生产劳动。1943年3月，三五九旅九十四个开荒能手齐集一起，进行生产大比武。一连三天，郝树才天天保持四亩以上纪录，当地一位农民不服，提议让他和牛比赛开荒。俗话说，一犁三镢头，人的力量怎么敢和耐力强的黄牛叫板呢？面对挑战，郝树才毫不犹豫地答应下来，到了比赛的这一天，不仅三五九旅的指战员们前来围观，就连附近的村民们也纷纷前来观看，他们想看看这场实力悬殊的比赛究竟鹿死谁手？

三月的陕北，寒风凛冽，奇冷刺骨，许多人都把双手搂在袖筒里取暖，而郝树才却光着膀子紧紧地握着镢头站在地边，等待着，等待着开始比赛的哨声。

比赛开始后，郝树才挥舞着镢头，他的身体在激烈地起伏着，

开荒生产

到后来，黄尘已经把他笼罩在中间，围观的人们只能听见那一声声急促的“嗵嗵”声，而那头健壮的黄牛却在主人吆喝、鞭赶下，行动越来越迟缓，越来越慢。

三个小时的时间转眼即过，到达终点，完成比赛任务的郝树才被汗水和灰尘裹成了泥人，只留下两只滴溜溜乱转的眼睛左右旋转着看着众人，而那头黄牛却僵卧在地上怎么也起不来，到后来才发现，这头黄牛已经口吐白沫，死在了当场。郝树才“气死牛”的称号由此得来。

毛泽东知道此事以后，赞叹道：“我们不但要气死牛，还要气死人哩，气死蒋介石，气不死，也要气他个半死。”

是啊，在当年的这场轰轰烈烈的大生产运动中，曾经涌现出无数个“气死牛”，在边区军民的共同努力下，终于战胜了国民党蓄意制造的困难，给了蒋介石一记响亮的耳光。今天，我们依然要发扬“气死牛”的精神，群心群力，努力把我们的国家建设成为国富民强和充满和谐的强盛之邦。

（冯建霞）

后　记

延安，是中国共产党成就伟业的地方。在这里，以毛泽东为代表的中国共产党人谱写了一曲曲气壮山河的历史乐章，留下了许多脍炙人口的故事。

先辈们的身影早已远去，但他们的精神将千古流芳。为了让人们永远铭记这段历史，我们从大量的文献资料和历史书籍中搜集出了五十余篇故事，汇编成《延安革命纪念馆故事》一书。它涵盖了领袖风采、红色恋情、将帅故事、延安轶事等内容。本书在编辑整理过程中，吸收了许多专家学者的优秀成果，并在此基础上进行了加工，让它更加合乎故事体例。有些故事除对若干词句和史实性的错误进行修订外，基本上保留了故事的原貌。

在本书的编写过程中，延安革命纪念馆的领导高度重视，给予了很大的支持。不仅制定了编写方针，还多次提出了改进意见，保证了本书的顺利完成。

延安革命史犹如浩瀚的海洋，有大量感人的故事值得后人流连忘返，希望我们的工作，能使大家得到启迪，更希望有越来越多的人来关注、学习这一段历史。

编　者

2012年5月